UM PRESSENTIMENTO FUNESTO

Tradução
Milton Persson

Rio de Janeiro, 2025

Título original: By the Pricking of My Thumbs
Copyright © Agatha Christie Limited, 1968.

Direitos de edição da obra em língua portuguesa no Brasil adquiridos pela CASA DOS LIVROS EDITORA LTDA. Todos os direitos reservados. Nenhuma parte desta obra pode ser apropriada e estocada em sistema de banco de dados ou processo similar, em qualquer forma ou meio, seja eletrônico, de fotocópia, gravação etc., sem a permissão do detentor do copyright.

Diretora editorial: Raquel Cozer
Gerente editorial: Alice Mello
Editor: Ulisses Teixeira
Revisão: Nina Lopes, Guilherme Bernardo
Diagramação: Abreu's System
Projeto gráfico de capa: Maquinaria Studio

Rua da Quitanda, 86, sala 601A Centro – 20091-005
Rio de Janeiro – RJ – Brasil
Tel.: (21) 3175-1030

Printed in China

CIP-Brasil. Catalogação na Publicação
Sindicato Nacional dos Editores de Livros, RJ

C479p

Christie, Agatha
　　Um pressentimento funesto / Agatha Christie ; tradução Milton Persson. – 1. ed. – Rio de Janeiro : HarperCollins, 2017.
　　256 p.

　　Tradução de: By the pricking of my thumbs
　　ISBN 978-85-6951-480-0

　　1. Ficção inglesa. I. Persson, Milton. II. Título.

16-37062　　　　　　　　　　　　　　　　CDD: 823
　　　　　　　　　　　　　　　　　　　　CDU: 821.111-3

Dedico este romance aos inúmeros leitores ingleses e estrangeiros que me escrevem constantemente perguntando: "Que fim levaram Tommy e Tuppence? Que estão fazendo agora?"

Felicidades a todos. Faço votos de que se divirtam ao reencontrá-los, bem mais velhos, porém com o espírito indômito de sempre!

AGATHA CHRISTIE

Pelo comichar
Do meu polegar
Sei que deste lado
Vem vindo um malvado.
Abra-te porta:
A quem, não importa!

MACBETH

Sumário

Primeira parte
Sunny Ridge

1. Tia Ada 13
2. A coitadinha era sua filha? 21
3. Um enterro 35
4. O quadro da casa 39
5. O desaparecimento da velhinha 53
6. Tuppence na pista 63

Segunda parte
A casa do canal

7. A bruxa camarada 73
8. Sutton Chancellor 89
9. Uma manhã em Market Basing 117

Terceira parte
A esposa desaparecida

10. Uma conferência... e depois 131
11. Bond Street e o dr. Murray 143
12. Tommy encontra um velho amigo 159
13. Albert e o fio da meada 181

Quarta parte
Passa passará, o de trás ficará
A porteira está aberta para quem quiser passar

14. Um exercício de raciocínio 201
15. Reunião no vicariato 213
16. A manhã seguinte 229
17. Sra. Lancaster 238

Primeira parte

Sunny Ridge

I

Tia Ada

O sr. e a sra. Beresford estavam à mesa do café da manhã. Formavam um par comum, semelhante a centenas de outros casais maduros que faziam o mesmo na Inglaterra inteira nesse dia idêntico aos demais. Talvez chovesse, mas por enquanto o tempo se mostrava incerto.

Quando moço, o sr. Beresford tivera cabelo vermelho. Ainda conservava um pouco da cor primitiva, embora a maior parte adquirisse a tonalidade gris-arenosa que em geral as pessoas ruivas ostentam na maturidade. O da sra. Beresford, em compensação, tinha sido preto, basto e ondulado. Se agora apresentava mechas grisalhas, dispersas em artificiosa negligência, o efeito final resultava atraente. Certa ocasião pensou em tingi-los, porém logo desistiu, conformando-se com a ordem natural das coisas e optando por um novo matiz de batom para se reanimar.

Um casal maduro, agradável e sem nada de especial, tomando seu café da manhã, deduziria um observador superficial. E se fosse jovem, acrescentaria: "Dois coroas simpáticos, não resta dúvida, mas decerto uns chatos de galocha, como todos os velhos."

O sr. e a sra. Beresford, entretanto, ainda não haviam atingido essa fase da vida em que as pessoas são consideradas definitivamente velhas. Nem sonhavam que a exemplo de tantos outros estivessem relegados à categoria de trastes insípidos apenas devido à idade. Opinião de gente moça, lógico. Ora, essa rapaziada — pensariam indulgentes — nem sabe o que é viver. Até dá pena ver como se atribulam com provas no colégio, relações sexuais, roupas extravagantes e penteados exóticos para chamar mais atenção. Na opinião do sr. e da sra. Beresford, ambos estavam em pleno vigor dos anos. Satisfeitos consigo mesmos, gostavam-se mutuamente, e os dias transcorriam calmos, sem tropeços.

Havia exceções, óbvio, tal como ocorre com todo mundo. O sr. Beresford abriu um envelope, relanceou os olhos pelo texto da carta e tornou a largá-la, em cima de um pequeno maço à sua esquerda. Tomou outro, porém desta vez absteve-se de abri-lo. Ficou parado com ele na mão, fitando distraído o prato de torradas. A esposa o observou em silêncio durante certo tempo.

— O que há, Tommy?

— Hein? — falou, vago. — O que há?

— Foi o que eu perguntei — disse a sra. Beresford.

— Nada — respondeu. — O que poderia haver?

— Você estava pensando em alguma coisa — afirmou Tuppence, de modo acusador.

— Acho que não estava pensando em coisíssima nenhuma.

— Estava, sim. O que aconteceu?

— Nada, lógico. Que ideia. Chegou a conta do encanador — explicou.

— Ah — fez Tuppence, com ar iluminado. — Mais do que esperava, imagino.

— Claro. Sempre é.

— Não entendo como não treinamos para encanador. Se ao menos você tivesse treinado, eu seria sua ajudante e estaríamos ganhando rios de dinheiro.

— Que imprevidência nossa, não é?

— Era a conta do encanador que você estava examinando agorinha mesmo?

— Não, era um pedido de subscrição.

— Delinquentes juvenis?... Integração racial?

— Não. Apenas outro asilo para a velhice em construção.

— Bem, ao menos isso é mais sensato. Só não entendo por que fez uma cara tão preocupada.

— Não foi nisso que eu pensei.

— Ora, no que foi, então?

— Creio que foi o que me veio à cabeça — disse o sr. Beresford.
— O quê? — perguntou Tuppence. —Você sabe que no fim termina contando.
— De fato não era nada importante. Achei apenas que talvez... bem, por causa de tia Ada.
—Ah, percebo — retrucou Tuppence, com compreensão imediata. — É mesmo — acrescentou, pensativa, num murmúrio. — Tia Ada.

Seus olhares se cruzaram. A triste verdade é que hoje em dia toda família que se preze tem um problema que poderia ser cognominado de "tia Ada". Os nomes diferem — tia Amélia, tia Susan, tia Cathy, tia Joan — numa miscelânea que inclui avós, primas velhas e tias-avós. O fato é que existem e representam um impasse que requer solução. Precisa-se tomar providências. Visitar e recolher informações completas sobre instituições adequadas ao trato de pessoas idosas. Pedir recomendações aos médicos ou amigos que já passaram pela mesma experiência, cujas tias Adas tivessem "vivido em meio ao maior conforto" até falecerem nos "Loureiros" de Bexhill ou nos "Alegres Prados" de Scarborough.

Já vai longe o tempo em que tia Elizabeth, tia Ada e congêneres moravam felizes nas próprias casas que lhes tinham servido de residência por décadas a fio, servidas por antigos criados fiéis, embora por vezes tirânicos. Ambas as partes então mostravam-se perfeitamente satisfeitas com a situação. Havia também uma profusão de parentas pobres, sobrinhas indigentes e primas solteironas apalermadas ansiosas por um bom lar, três ótimas refeições diárias e uma cama bem cômoda. A oferta e a procura coincidiam, e tudo se encaixava. Mas atualmente a coisa mudou.

As tias Adas de hoje exigem precauções meticulosas e não meramente destinadas a uma senhora idosa que, em virtude de artrite e outras dificuldades reumáticas, não possa ficar sozinha em casa sob perigo de cair da escada, sofrer de bronquite crônica ou brigar com a vizinhança e insultar os fornecedores.

Lamentavelmente, essas tias Adas dão muito mais trabalho do que o extremo oposto na escala de idade. Uma criança ainda pode ser confiada a pais adotivos, impingida a parentes ou entregue a colégios apropriados, onde passe até as férias e haja possibilidade de excursões em burrinhos e acampamentos, e, de modo geral, oferece pouca resistência a esse tipo de solução. Já com as tias Adas o caso muda de figura. Tuppence Beresford teve uma — a tia-avó Primrose — que se notabilizou como encrenqueira. Impossível contentá-la. Mal dava entrada numa instituição garantidamente impecável em matéria de estada e conforto para idosas, e após um punhado de cartas à sobrinha, cumulando de elogios um determinado estabelecimento dessa espécie, vinha a notícia de que se retirara indignada, sem aviso.

— Abominável. Não podia ficar lá mais um segundo!

No período de um ano, tia Primrose ingressou e abandonou onze instituições semelhantes. Um belo dia escreveu dizendo que havia encontrado um moço muito simpático. "De fato, o rapaz é um amor. Perdeu a mãe na infância e precisa terrivelmente de alguém que cuide dele. Aluguei um apartamento, e ele vai morar comigo. A combinação é ideal para nós dois. Temos afinidades naturais. Você não tem por que se preocupar mais, minha querida Prudence. Meu futuro está resolvido. Amanhã vou procurar meu advogado, pois tenho de tomar certas providências em relação a Mervyn, na eventualidade de que meu falecimento preceda o dele, o que, afinal de contas, seria perfeitamente normal, embora eu esteja pronta a lhe garantir que nunca me senti melhor na vida."

Tuppence correu para o norte (o incidente ocorreu em Aberdeen). Acontece, porém, que a polícia foi mais rápida e prendeu o maravilhoso Mervyn, procurado há algum tempo sob a acusação de obter dinheiro sob falsos pretextos. Tia Primrose ficou no auge da indignação, chamando aquilo de perseguição, mas depois de acompanhar o processo no tribunal (onde vinte e cinco casos do mesmo gênero foram levados em consideração) viu-se forçada a mudar de opinião a respeito do protegido.

— Creio que eu devia visitar tia Ada, sabe, Tuppence? — disse Tom. — Já faz tempo que não vou lá.
— Pois é — retrucou Tuppence, sem entusiasmo. — Quando foi a última vez?
— Há quase um ano — ponderou Tommy.
— Mais. Um ano é pouco.
— Puxa, como o tempo voa. Não parece tanto assim. Contudo, creio que você tem razão, Tuppence. — Refletiu. — É horrível como a gente esquece, não é? Sinto até a consciência pesada.
— Não sei por quê. Afinal, a gente está sempre mandando coisas e escrevendo para ela.
— Sim, claro. Nesse sentido você se esmera como ninguém, Tuppence. Porém, mesmo assim, às vezes se leem coisas bem alarmantes.
— Está pensando naquele livro hediondo que conseguimos na biblioteca, e o horror que significou para os pobres velhinhos. Como sofreram.
— Tenho a impressão de que foi verdade... tirado da vida real.
— Não resta dúvida de que há lugares assim. E gente profundamente infeliz, que não sabe viver de outro jeito. Mas o que é que se vai fazer, Tommy?
— O que todo mundo faz: tomar as máximas precauções. Escolher com prudência, verificar cada detalhe e checar se existe um bom médico tratando dela.
— Você tem de reconhecer que não existe nenhum melhor que o dr. Murray.
— É — disse Tommy, amainando a expressão preocupada. — Murray é um sujeito de primeira. Delicado, paciente. Se houvesse qualquer coisa errada, ele avisaria.
— Portanto acho desnecessária essa sua inquietação. Com que idade ela está?
— Oitenta e dois. Não, espere. Creio que oitenta e três — acrescentou. — Deve ser bastante horrível sobreviver a todos os parentes e amigos.
— Isso na *nossa* opinião. *Eles* não pensam assim.

— Como é que você pode afirmar?

— Ora, no caso de tia Ada posso até garantir. Não se lembra do prazer com que contou o número de amigas que já tinham morrido? Terminou dizendo: "E quanto à Amy Morgan, soube que não dura mais de seis meses. Vivia falando que eu era tão magrinha, e agora é quase certo que vai antes para a cova. Com vários anos de antecedência." A perspectiva deixou-a eufórica.

— Seja como for... — insistiu Tommy.

— Eu sei, eu sei. Seja como for, você julga que é seu dever e, portanto, irá.

— Não acha que estou certo?

— Está, sim. Certíssimo. Infelizmente. E eu vou junto — acrescentou, com um leve toque de heroísmo na voz.

— Não — protestou Tommy. — Para quê? Ela não é sua tia. Deixe que eu vou.

— De forma alguma. Também gosto de sofrer. Nós dois penaremos juntos. Você não se divertirá, eu não me divertirei e não creio por um instante que tia Ada tampouco se divertirá. No entanto compreendo perfeitamente que seja uma dessas coisas que necessitam ser feitas.

— Mas eu não quero que vá. Afinal de contas, já esqueceu como ela foi terrivelmente grosseira com você na última vez?

— Ora, nem liguei — retrucou Tuppence. — Provavelmente foi o único momento animado da visita para a coitada. Não fiquei ressentida, não, nem por um segundo.

— Você é sempre boazinha com tia Ada, mesmo não gostando muito dela.

— E quem é que algum dia gostou? Quer saber a minha opinião? Ninguém.

— Não se pode deixar de sentir pena de quem envelhece.

— Eu posso — afirmou Tuppence. — Não tenho um caráter tão bom quanto o seu.

— As mulheres são mais impiedosas.

— Creio que deve ser isso. Em última análise, só temos tempo para sermos realistas. Quero dizer, eu sinto pena de gente velha, doente ou coisa parecida, quando se trata de boa pessoa. Do contrário, ora, há de se reconhecer que não dá no mesmo. Se alguém é ruim como cobra aos vinte, não melhora nada aos quarenta, piora aos sessenta e se transforma numa perfeita peste aos oitenta... Bem, francamente, não sei por que havia de me causar qualquer comiseração apenas pelo fato de ter envelhecido. No fundo, ninguém muda. Conheço autênticos anjos que estão com setenta e oitenta anos. A velha sra. Beauchamp, Mary Carr e a avó do padeiro, aquela adorável sra. Poplett, que sempre vinha fazer a limpeza aqui em casa, são todas uns amores, verdadeiras simpatias, e eu faria tudo por elas.

— Está bem, está bem — disse Tommy —, seja realista. Mas se quiser bancar a sublime e vir comigo...

— Eu quero ir. Que diabo, quando me casei com você prometi compartilhar os bons e os maus momentos. E tia Ada pertence decididamente à segunda categoria. Portanto iremos de braços dados, com um buquê de flores, uma caixa de bombons recheados e talvez algumas revistas. Seria bom escrever para a tal fulana, prevenindo sobre a nossa visita.

— Um dia da semana que vem? Eu podia dar um jeito na terça, se for bom para você.

— Combinado. Como é o nome da mulher? Não consigo lembrar... A diretora, superintendente ou sei lá o que ela é. Começa com P.

— Srta. Packard.

— Exato.

— Talvez desta vez seja diferente — disse Tommy.

— Diferente? Em que sentido?

— Ah, não sei. Pode ser que aconteça algo interessante.

— Quem sabe um desastre de trem no caminho? — sugeriu Tuppence, entusiasmando-se um pouco.

— A troco de que você está com vontade de sofrer um desastre de trem?

— Bem, no fundo eu não estou, claro. Foi apenas...

— Apenas o quê?

— Ora, seria uma aventura, não? Talvez se pudesse salvar alguém ou fazer qualquer coisa de útil. Útil e ao mesmo tempo empolgante.

— Que ideia! — exclamou o sr. Beresford.

— Eu sei — concordou Tuppence. — Acontece que é o tipo de ideia que às vezes nos ocorre.

2

A coitadinha era sua filha?

SERIA DIFÍCIL explicar o motivo do nome de Sunny Ridge.* O terreno plano não apresentava nenhuma saliência que se assemelhasse a um outeiro, porém convinha mais, sem dúvida, às idosas pensionistas. O jardim, embora carecesse de atrativos especiais, era amplo. A casa, uma mansão vitoriana bastante espaçosa e em ótimo estado de conservação, estava cercada por um punhado de árvores de sombra amena. Uma videira virgem, cobrindo uma das paredes laterais, e duas araucárias chilenas emprestavam um ar exótico à cena. Havia diversos bancos colocados em pontos estratégicos para pegar sol, algumas espreguiçadeiras esparsas e uma varanda envidraçada, onde as velhinhas podiam se sentar ao abrigo dos ventos traiçoeiros.

Tommy tocou a campainha, sendo logo atendido, na companhia de Tuppence, por uma moça em avental de nylon com um jeito meio afobado. Levou-os a uma pequena sala de visitas.

—Vou avisar a srta. Packard — disse, levemente esbaforida. — Já os está esperando e descerá em seguida. Não se incomodam de aguardar um instante? É por causa da velha sra. Carroway. Cismou de engolir o dedal outra vez, sabem como é.

— Mas à saúde de que ela fez uma coisa dessas? — perguntou Tuppence, surpresa.

— Para se divertir — foi a explicação sucinta da empregada. —Vive fazendo isso.

Saiu da sala, e Tuppence sentou-se.

---

* Outeiro Claro (N. do T.)

— Eu é que não gostaria de engolir um dedal — comentou, pensativa. — Já pensou no horror que seria ao descer pela garganta?

Contudo, não tiveram de esperar muito. A porta se abriu, e srta. Packard entrou, cheia de desculpas. Era uma mulher alta e ruiva, com cerca de cinquenta anos e aquele ar de calma competência que Tommy sempre admirara.

— Perdoe a demora, sr. Beresford. Como vai, sra. Beresford? Que bom que também veio.

— Soubemos que alguém engoliu um dedal — falou Tommy.

— Ah, Marlene contou? Sim, a sra. Carroway. Passa o dia inteiro engolindo coisas. Um verdadeiro problema. Não se pode estar de olho a toda hora. Claro, a gente sabe que as crianças fazem isso, mas para uma pessoa velha um passatempo desses fica até engraçado, não é mesmo? E ela não muda, cada ano piora. O que vale é que não lhe faz mal.

— No mínimo o pai era engolidor de espadas — sugeriu Tuppence.

— Eis aí uma ideia bem interessante, sra. Beresford. Assim *talvez* se explicasse. Anunciei sua visita à srta. Fanshawe, sr. Beresford — prosseguiu. — Mas não garanto que tenha entendido. Como sabe, nem sempre entende o que a gente diz.

— Como vai ela ultimamente?

— Olhe, receio que bastante combalida — explicou a srta. Packard, adotando um tom consolador. — Nunca se sabe até onde alcança sua compreensão. Falei-lhe ontem à noite, e ela afirmou que eu devia estar enganada, porque era período letivo. Pelo jeito, pensa que o senhor ainda vai à escola. As pobrezinhas às vezes confundem tudo, principalmente em questão de tempo. Apesar disso, hoje de manhã, ao abordar de novo o assunto, limitou-se a comentar que era um completo absurdo, uma vez que o senhor já havia morrido. Enfim — continuou, alegremente —, espero que o reconheça quando o vir.

— E de saúde? Sempre na mesma?

— Bem, na medida do possível. Para falar com franqueza, creio que lhe resta pouco tempo de vida. Não sofre dor nenhuma, porém seu estado cardíaco não apresenta melhoras. Piorou mesmo. Por isso acho preferível ficarem de sobreaviso, pois se falecer repentinamente o abalo não será tão grande.

— Trouxemos umas flores — disse Tuppence.

— E uma caixa de bombons — acrescentou Tommy.

— Ah, mas quanta gentileza. Ela vai ficar muito contente. Vamos subir?

Tommy e Tuppence se levantaram, deixando a sala na companhia da srta. Packard, que tomou a dianteira na ampla escadaria. Ao cruzarem por um dos quartos do corredor do andar de cima, a porta de repente se abriu, e uma velha baixinha, com pouco mais de um metro e meio de altura, saiu correndo num passo miudinho, aos berros:

— Quero meu chocolate! Quero meu chocolate! Onde está a enfermeira Jane? Quero meu chocolate!

Uma mulher de uniforme irrompeu do quarto contíguo.

— Calma, calma, meu bem. Está tudo certo. Você já tomou seu chocolate. Faz vinte minutos.

— Não tomei, não, enfermeira. É mentira. Ninguém me deu. Estou com sede.

— Pois, se quiser, pode tomar outra xícara.

— Como vou tomar outra se ainda não tomei nenhuma?

Seguiram adiante, e a srta. Packard, depois de bater de leve numa porta no fundo do corredor, abriu-a, e todos entraram.

— Pronto, srta. Fanshawe — anunciou, festiva. — Cá está seu sobrinho para visitá-la. Que bom, hein?

Numa cama perto da janela, uma idosa soergueu-se bruscamente dos travesseiros. Tinha o cabelo grisalho, um rosto fino e enrugado, nariz grande e adunco, e um ar geral de desaprovação. Tommy se aproximou.

— Olá, tia Ada. Como vai?

Em vez de lhe prestar atenção, tia Ada virou-se para a srta. Packard.

— Que negócio é esse de admitir cavalheiros no quarto de uma senhora? — interpelou, irritada. — Na minha época isso não era considerado de bom-tom! E ainda me vem essa história de sobrinho! Quem é ele? Um encanador ou um eletricista?

— Ora, vamos, que modos são esses? — recriminou a srta. Packard, conciliadora.

— Sou seu sobrinho, Thomas Beresford — explicou Tommy, oferecendo a caixa de bombons. — Trouxe-lhe uns chocolates.

— Não pense que assim me convence. Conheço sua laia. É capaz de dizer qualquer coisa. Quem é essa mulher?

Encarou a sra. Beresford com ar de desdém.

— Sou Prudence — respondeu a sra. Beresford. — Sua sobrinha Prudence.

— Que nome ridículo — retrucou tia Ada. — Digno de uma copeira. Meu tio-avô Mathew tinha uma chamada Comfort.* A arrumadeira era Hallejuah.** Metodista. Mas minha tia-avó Fanny acabou com a história. Disse que enquanto estivesse trabalhando na casa *dela* se chamaria Rebecca.

— Trouxe umas rosas para a senhora — falou Tuppence.

— Não presta ter flores em quarto de doente. Absorvem todo o oxigênio.

— Vou colocá-las num jarro — sugeriu a srta. Packard.

— Não vai fazer nada disso. Já devia ter aprendido que quem manda em mim sou eu.

— A senhora parece estar em plena forma, tia Ada — comentou o sr. Beresford. — Vendendo saúde, pode-se dizer.

— Mais que você, isso é certo. Que negócio é esse de se intitular meu sobrinho? Como é mesmo o seu nome? Thomas?

— Sim. Thomas ou Tommy.

— Para mim é novidade — afirmou. — Eu só tive um sobrinho, chamado William, que morreu na última guerra. Até foi bom. Se estivesse vivo, não valeria nada. Estou cansada — acres-

---

* *Comfort*: Conforto (N. do T.).
** *Hallejuah*: Aleluia (N. da E.).

centou, recostando-se nos travesseiros e virando a cabeça para o lado da srta. Packard. — Leve essa gente embora. Não devia trazer estranhos aqui.

— Julguei que uma visitinha talvez a animasse — replicou a srta. Packard, imperturbável.

Tia Ada emitiu um ronco abafado de regozijo escarninho.

— Muito bem — disse Tuppence, alegre. — Nós já vamos, então. As rosas ficam. Quem sabe a senhora muda de opinião sobre elas. Venha, Tommy.

Voltou-se para a porta.

— Bem, até a vista, tia Ada. Pena que não se lembre de mim.

Tia Ada permaneceu em silêncio até Tuppence sair, seguida da srta. Packard e, finalmente, Tommy.

— Você fique — ordenou ela, levantando a voz. — Sei perfeitamente quem é. Você é Thomas. Antes tinha o cabelo vermelho. Cor de cenoura. Isso mesmo. Venha cá. Vamos conversar. A mulher eu não quero. Não adianta ela fingir que é sua esposa, a mim é que não engana. Não sei como pode trazer uma sujeitinha dessas aqui. Sente-se nessa cadeira e me conte como vai sua querida mãe. Dê o fora — acenou, à guisa de pós-escrito, para Tuppence, que ficara hesitante na soleira e então desapareceu imediatamente.

— Hoje ela está num de seus dias — opinou a srta. Packard com toda a calma ao descerem a escada. — Sabe, às vezes é até simpática. Contando ninguém acredita.

Tommy sentou-se na cadeira indicada pela tia Ada, frisando delicadamente que não tinha muitas notícias a respeito de sua mãe, pois morrera há quase quarenta anos. A declaração não a perturbou.

— Imagine — disse —, já faz tanto assim? Puxa, como o tempo passa depressa. — Examinou-o de alto a baixo. — Por que você não se casa? Arrume uma boa mulher para cuidar de sua vida. Está na idade, sabe? Não precisaria andar com essas pinoias por aí, posando de esposa.

— Estou vendo que da próxima vez que viermos terei de pedir a Tuppence que traga a certidão de casamento.

— Ah, então a transformou em mulher honesta, hein?

— Estamos casados há mais de trinta anos — disse Tommy —, temos um filho e uma filha, ambos também casados.

— Que diabo — reclamou tia Ada, mudando rapidamente de tática —, ninguém nunca me diz nada. Se me tivessem avisado a tempo...

Tommy achou melhor não discutir. Uma vez Tuppence lhe fizera uma séria advertência: "Se alguém de mais de 65 anos recrimina a gente, é preferível não responder. Nunca tente provar que tem razão. Desculpe-se logo, dizendo que a culpa é unicamente sua, mostre-se sentido e prometa que o erro não se repetirá."

Naquele momento, convenceu-se de que seria aconselhável adotar essa linha com tia Ada, como aliás sempre fora.

— Que pena, tia Ada — disse. — Receio, sabe, que a tendência da gente é ficar esquecido à medida que o tempo passa. Não são todos — continuou descaradamente — que têm uma memória infalível como a da senhora.

Tia Ada delirou. Não há outra palavra.

— Nesse ponto você tem razão — concordou. — Desculpe a minha maneira um tanto brusca há pouco, mas é que detesto ser importunada. Neste lugar, nunca se sabe. Permitem a entrada de qualquer um. Não importa quem seja. Se eu acreditasse em tudo o que dizem, acabaria roubada e assassinada em minha própria cama.

— Ah, não creio que fosse possível.

— Nunca se sabe — repetiu. — As coisas que se leem no jornal. E que os outros vêm contar para a gente. Não que eu dê crédito a qualquer boato. Mas fico de olho aberto. Imagine só que no outro dia me apareceu aqui um desconhecido, nunca tinha visto mais gordo. Apresentou-se como dr. Williams, dizendo que o dr. Murray saíra de férias e ele era seu novo sócio. Novo sócio! Como é que eu podia saber que não estava mentindo?

— E ele era?

— Pois, para falar a verdade — respondeu tia Ada, um tanto chateada por ter que dar o braço a torcer —, de fato era. Mas quem podia afirmar ao certo? Lá estava ele, com o carro à porta, trazendo aquela espécie de maleta preta que os médicos usam para tirar a pressão... todo aquele negócio. É que nem a caixa mágica de que viviam falando. De quem era mesmo? Joana Southcott?*

— Não — disse Tommy. — Acho que era meio diferente. Algo a ver com uma profecia.

— Ah, sei. Bem, o que eu queria dizer é que um sujeito pode entrar num lugar como este, inventar que é médico, para tudo quanto é enfermeira logo começar a fricotear, cheias de risinhos e é só doutor para cá, doutor para lá, quase em posição de sentido, essas baratas tontas! E quando a gente jura que nunca viu o camarada, põem-se a ralhar, dizendo que é falta de memória, puro esquecimento. Eu nunca esqueço uma fisionomia — afirmou decidida. — Jamais esqueci. Como vai sua tia Caroline? Faz tempo que não recebo notícias. Tem falado com ela?

Tommy se desculpou, explicando que tia Caroline morrera há quinze anos. Tia Ada não demonstrou nenhum sentimento de pesar pelo falecimento. Afinal de contas, a defunta não era sua irmã, apenas prima.

— Parece que todos estão morrendo — comentou, com certo prazer. — Falta de histamina. O motivo é só esse. Coração fraco, trombose coronária, pressão alta, bronquite crônica, reumatismo articular... etc. etc. Uns fracalhões, mais nada. E assim os médicos enriquecem. Receitando caixas e mais caixas, vidros e mais vidros de comprimidos. Amarelos, cor-de-rosa, verdes e até pretos, o que não me admira. Brr! Enxofre com melaço era o que se usava no tempo de minha avó. Aposto como fazia o mesmo efeito. Quando a gente tem de escolher entre ficar bom ou tomar

---

*Visionária religiosa inglesa, que fez profecias em forma de verso rimado, das quais foram publicadas várias coleções. (N. do T.)

enxofre com melaço, a cura é instantânea. Infalível. — Sacudiu a cabeça, satisfeita. — Não se pode confiar em médico, não é? Então quando se trata de assunto profissional, nem se fala... uma nova moda, por exemplo... soube que anda havendo uma porção de casos de envenenamento. Para conseguir corações para transplante, me contaram. Acho que não é verdade. A Srta. Packard nunca toleraria uma coisa dessas.

No andar inferior, a srta. Packard, um pouco constrangida, indicava uma sala perto do saguão.

— Lamento muito, sra. Beresford, mas espero que compreenda como são as pessoas de idade. Simpatizam e antipatizam gratuitamente e depois mostram-se irredutíveis.

— Deve ser muito difícil gerenciar um lugar como este — observou Tuppence.

— Oh, até que não — respondeu a srta. Packard. — Eu até que gosto, sabe? E realmente tenho carinho por todas elas. A gente se afeiçoa pelas pessoas que tem de cuidar. Quero dizer, talvez tenham suas manias e rabugices, mas são bastante fáceis de lidar, quando se descobre o jeito.

Tuppence intuiu que a srta. Packard decerto sempre descobria.

— No fundo, são meras crianças — prosseguiu, condescendente. — Só que as crianças têm muito mais lógica, o que às vezes dificulta um pouco. Ao passo que os velhos não; contentam-se em serem tranquilizados, em ouvir a confirmação do que querem acreditar. Então se alegram de novo, durante certo tempo. A equipe que trabalha comigo é muito boa. Elementos pacientes, sabe, de bom temperamento e sem excesso de inteligência, senão logo perderiam a calma. O que há, srta. Donovan? — perguntou, virando-se para uma moça de pincenê que descia a escada correndo.

— É a sra. Lockett outra vez, srta. Packard. Inventou que está à beira da morte e pediu que chamássemos o médico de uma vez.

— Ah — fez a srta. Packard, sem se impressionar. — De que ela está morrendo desta vez?

— Diz que ontem havia cogumelo no picadinho, que devia ter fungo, então foi envenenada.

— Essa é nova — declarou a srta. Packard. — É melhor eu ir vê-la. Com licença, sra. Beresford. A senhora encontrará revistas e jornais naquela sala ali.

— Oh, não se preocupe comigo — agradeceu Tuppence.

Entrou no cômodo indicado. Era agradável, com portas envidraçadas que davam para o jardim. Havia poltronas e mesas com vasos de flores. Uma parede tinha uma estante onde se misturavam romances modernos e livros de viagem, além do que se poderia chamar de velhos clássicos que possivelmente a maioria das residentes gostaria de reler. As revistas estavam em cima de uma mesa.

Naquele momento havia apenas uma pessoa na sala: uma velha de cabelo branco repuxado para trás, sentada numa poltrona, olhando para um copo de leite na mão. Tinha um rosto delicado, alvo e rosado. Sorriu amavelmente para Tuppence.

— Bom dia — cumprimentou. — Vai morar conosco ou está de visita?

— De visita — respondeu Tuppence. — Tenho uma tia aqui. Meu marido está com ela agora. Achamos que duas pessoas ao mesmo tempo talvez fosse demais.

— Foi muita consideração sua — retrucou a velha, provando um pouco do leite com um ar apreciativo. — Será que... não, parece que está bom. Quer tomar alguma coisa? Chá ou quem sabe café? Deixe-me tocar a campainha. São muito atenciosos aqui.

— Não, obrigada — disse Tuppence. — De verdade.

— Ou um copo de leite, talvez. Hoje não está envenenado.

— Não, não, nem isso sequer. Não vamos demorar.

— Bem, se tem certeza... mas não é incômodo nenhum, ouviu? Aqui ninguém jamais se incomoda com coisa alguma. A não ser, claro, que se peça algo completamente absurdo.

— Não nego que a tia que viemos visitar às vezes pede coisas praticamente impossíveis. Chama-se srta. Fanshawe — explicou.

— Ah, a srta. Fanshawe — repetiu a velha. — Oh, sim.

Parecia coibida por um motivo qualquer, mas Tuppence logo acrescentou, animada:

— Devo reconhecer que ela é uma fera. Sempre foi.

— É, sem dúvidas. Também tive uma tia, sabe, que era bem assim, principalmente depois que envelheceu. Mas nós todas gostamos muito da srta. Fanshawe. Quando quer, ela é divertidíssima. A respeito dos outros, sabe?

— Sim, imagino — concordou Tuppence.

Ponderou durante alguns segundos, encarando tia Ada por esse novo prisma.

— Muito cáustica — afirmou a velha. — A propósito, meu nome é Lancaster. Sra. Lancaster.

— O meu é Beresford.

— Receio, sabe, que um pouco de malícia de vez em quando não faça mal a ninguém. O jeito com que descreve algumas das outras hóspedes, e as coisas que diz sobre elas. Bem, sabe como é, a gente não deve, mas sempre termina achando graça.

— A senhora mora aqui há muito tempo?

— Bastante. Espere, deixe eu ver, sete... oito anos. É, sim, deve fazer mais de oito. — Suspirou. — Perde-se contato com as coisas. E com as pessoas também. Todos os meus parentes moram no exterior.

— Deve ser um pouco triste.

— Não é, não, realmente. Nunca gostei muito deles. Para falar a verdade, nem os conheço direito. Tive uma doença grave... gravíssima, mesmo... e fiquei sozinha no mundo. Então pensaram que para mim seria melhor morar num lugar como este. Considero sorte ter vindo para cá. São tão delicadas e solícitas. E os jardins são uma beleza. Eu mesma reconheço que não gostaria de morar sozinha porque às vezes confundo tudo, sabe? Uma confusão danada. — Bateu na testa. — Fico confusa aqui. Misturo as coisas. Nem sempre me lembro bem do que já aconteceu.

— Que pena — disse Tuppence. — A gente sempre tem alguma coisa para atrapalhar, não é mesmo?

— Certas doenças são muito dolorosas. Aqui moram duas pobres mulheres que têm reumatismo articular em grau avançado. Sofrem de uma maneira atroz. Por isso eu acho que talvez não faça mal se a gente confundir um pouco o passado, os lugares e as pessoas e tudo o mais, sabe? Em todo caso, pelo menos a dor não é física.

— É. Creio que talvez tenha razão.

A porta se abriu, e uma moça de avental branco entrou, trazendo uma pequena bandeja com o bule de café e um prato com dois biscoitos, que colocou ao lado de Tuppence.

— A srta. Packard pensou que a senhora talvez quisesse uma xícara de café.

— Oh, obrigada.

A moça saiu de novo.

— Pronto, está vendo? — disse a sra. Lancaster. — Como são solícitas, não é mesmo?

— De fato.

Tuppence serviu-se de café e começou a beber. As duas mulheres se mantiveram em silêncio por algum tempo. Tuppence ofereceu o prato de biscoitos, porém a velha sacudiu a cabeça.

— Não, obrigada, meu bem. Gosto de tomar leite puro.

Largou o copo vazio e reclinou-se na poltrona, com as pálpebras entreabertas. Tuppence supôs que decerto era a hora matutina em que costumava cochilar um pouco, por isso continuou calada. De repente, entretanto, a sra. Lancaster pareceu despertar em sobressalto. Abriu os olhos, fitou Tuppence e disse:

— Vejo que está olhando a lareira.

— Oh. É mesmo? — retrucou, um tanto atônita.

— Sim. Será que... — Inclinou-se para a frente e baixou a voz: — Desculpe, mas a coitadinha era sua filha?

Tuppence, colhida de surpresa, hesitou.

— Eu... não, creio que não — respondeu.

— Pensei. Imaginei que talvez tivesse vindo por causa disso. Um dia alguém deve vir. Talvez venham. E depois, olhando a lareira, do jeito que olhou. É lá que está, sabe? Ali atrás.

— Ah — exclamou Tuppence. — Ah. É mesmo?

— Sempre na mesma hora — continuou a sra. Lancaster em voz baixa. — Todos os dias. — Ergueu os olhos para o relógio da prateleira. Tuppence fez o mesmo. — Onze e dez — disse a velha. — Onze e dez. Sim, sempre na mesma hora, todas as manhãs.

Suspirou.

— As pessoas não compreendem... contei-lhes tudo o que sabia... mas não acreditaram!

Para alívio de Tuppence, a porta se abriu e Tommy entrou. Ela se levantou imediatamente.

— Cá estou. Já estava pronta. — Dirigiu-se a ele, virando a cabeça para se despedir: — Adeus, sra. Lancaster.

Ao chegarem ao saguão, perguntou a Tommy:

— Como é que vocês se entenderam?

— Depois que *você* saiu, às mil maravilhas.

— Pelo visto eu exerço um péssimo efeito nela, não? — disse Tuppence. — De certo modo, é até estimulante.

— Estimulante por quê?

— Ora, na minha idade — respondeu Tuppence — e com a aparência bem-arrumada, respeitável e levemente tediosa que eu tenho, não deixa de ser lisonjeiro passar a impressão de que sou uma mulher depravada de fatal atração sexual.

— Idiota — retrucou Tommy, beliscando-lhe carinhosamente o braço. — Com quem você estava de mexerico? Parecia uma velhota fofa muito simpática.

— E era mesmo — confirmou Tuppence.— Um encanto de velhinha. Mas infelizmente tantã.

— Tantã?

— É. Pelo jeito pensou que havia uma criança morta atrás da lareira ou coisa que o valha. Ela me perguntou se a coitadinha era minha filha.

— Um pouco enervante — opinou Tommy. — No mínimo há muita gente aqui ligeiramente maluca, assim como velhos parentes perfeitamente normais, cujo único problema é a idade. Seja como for, parecia simpática.

— Ah, sem dúvida — concordou Tuppence. — Simpática e um verdadeiro anjo. Gostaria de saber exatamente por que tem essas fantasias.

A srta. Packard reapareceu bruscamente.

— Adeus, sra. Beresford. Espero que lhe tenham levado o café.

— Oh, sim, levaram, obrigada.

— Olhe, foi muita gentileza ter vindo, sabe?— afirmou. E virando-se para Tommy: — E sei que a srta. Fanshawe gostou muito de sua visita. Pena que se tenha mostrado grosseira com sua senhora.

— Acho que ela também se divertiu bastante com isso — disse Tuppence.

— De fato, tem razão. Ela realmente gosta de ser rude com os outros. Infelizmente tem um talento todo especial nesse sentido.

— E assim pratica a arte com a maior frequência possível — completou Tommy.

— São muito compreensivos — declarou a srta. Packard.

— Aquela velha com quem estive conversando, a sra. Lancaster, acho que foi esse o nome que ela disse? — perguntou Tuppence.

— Ah, sim, a sra. Lancaster. Todo mundo gosta dela.

— É... um pouco excêntrica?

— Bem, tem suas esquisitices — explicou a srta. Packard, condescendente. — Há uma porção de gente aqui cheia de manias. Inofensivas, claro. Mas, enfim, a situação é essa. Coisas que acreditam que lhes aconteceram. Ou com outras pessoas. Fazemos tudo para fingir que não percebemos, para não estimular ainda mais. Bancamos as desentendidas. Eu de fato acredito que se trate meramente de um exercício de imaginação, uma espécie de fantasia que sentem prazer em viver. Qualquer coisa empolgante, ou então triste e trágica. Não faz a menor diferença. Mas nenhuma mania de perseguição, graças a Deus. Senão seria insuportável.

— Bem, terminou — exclamou Tommy, suspirando ao entrar no carro. — Não precisaremos voltar antes de seis meses, no mínimo.

Porém não precisaram repetir a visita. Três semanas depois tia Ada morreu dormindo.

3

Um enterro

— Os enterros são bem tristes, você não acha? — comentou Tuppence.

Acabavam de voltar do sepultamento de tia Ada, que acarretara uma longa e incômoda viagem de trem, pois fora realizado na aldeia rural em Lincolnshire, onde a maior parte de sua família e antepassados estavam enterrados.

— O que é que você esperava? — retrucou Tommy com justeza. — Uma cena de desvairada alegria?

— Ora, em certos lugares é — disse Tuppence. — Os irlandeses, por exemplo, como apreciam um velório! Primeiro se entregam às endechas e lamúrias, para depois cair na bebida e numa farra danada. Por falar em *bebida*... — acrescentou, olhando significativamente para o aparador.

Tommy preparou-lhe um drinque apropriado à ocasião: um White Lady.*

— Ah, agora, sim — aprovou Tuppence.

Tirou o chapéu fúnebre, jogando-o do outro lado da sala, e despiu o longo casaco preto.

— Detesto luto — falou. — Sempre cheira a naftalina de tanto ficar guardado no armário.

— Não há necessidade de usar. A gente coloca apenas para ir ao enterro.

— Sim, claro, eu sei. Daqui a pouco vou lá em cima pôr uma blusa vermelha só para alegrar o ambiente. Prepare outro White Lady para mim.

---

* Coquetel que mistura gim com Cointreau. (N. do T.)

— Francamente, Tuppence, nunca pensei que um enterro deixasse você tão festiva.

— Eu disse que eram tristes — repetiu ela, ao reaparecer instantes depois, num vestido berrante cor de cereja, com um lagarto de rubi e brilhantes preso ao ombro —, porque esses como o de tia Ada de fato são. Sabe como é: um defunto velho e poucas flores. Quase ninguém aos prantos. Uma criatura idosa e solitária que não fará muita falta.

— Pois eu supunha que seria bastante mais suportável para você que o meu, por exemplo.

— Quanto a isso está redondamente enganado — afirmou Tuppence. — Nem quero imaginar o seu porque prefiro morrer antes. Mas lógico que nesse caso, de qualquer modo, se transformaria numa orgia de dor. Eu levaria pilhas de lenços.

—Tarjados de preto?

— Olhe, não tinha lembrado, mas a ideia é ótima. E o serviço fúnebre, aliás, chega a ser lindo. Deixa a gente inspirada. A dor é autêntica. A sensação pode ser medonha, mas *produz* resultados. Quero dizer, evapora-se, como transpiração.

— Francamente, Tuppence, esses seus comentários sobre minha morte e o efeito que terá em você me parecem de extremo mau gosto. Eu não gosto. Mudemos de assunto.

— Concordo. Mudemos.

— A coitada se foi — disse Tommy — de maneira tranquila e sem sofrimento. Portanto fiquemos por aí. Creio que é melhor eu colocar tudo em ordem.

Dirigiu-se à escrivaninha e remexeu num maço de papéis.

— Ué, onde foi parar a carta do sr. Rockbury?

— De quem? Ah, o advogado que escreveu a você?

— Sim. Para liquidar os negócios dela. Pelo jeito sou o único sobrevivente da família.

— Pena que ela não tivesse uma fortuna para lhe deixar — lamentou Tuppence.

— Se tivesse, na certa deixaria para aquele asilo de gatos. A doação que lhes fez no testamento praticamente leva todo o dinheiro que sobrou. Não vai me restar quase nada. Não que eu precise ou mesmo queira.

— Ela gostava de gatos?

— Não sei. Imagino que sim. Nunca se referiu a eles na minha frente. Tenho a impressão — continuou Tommy pensativo — de que se divertia feito louca prometendo às amigas que iam visitá-la: — "Vou deixar uma coisinha para você em meu testamento, querida" ou "Este broche que você tanto aprecia será seu quando eu morrer". E no fim não ficou nada para ninguém, só para os gatos.

— Garanto que ela delirou com a ideia. Posso até ver a cena: rodeada de amigas, pretensas, claro, porque não creio que houvesse alguma pessoa de quem realmente gostasse. Divertia-se apenas à custa delas. É preciso reconhecer que foi um demônio, hein, Tommy? Mas não sei por que, de uma maneira engraçada, isso a torna simpática. Conseguir arrancar algum prazer da vida quando a gente está velha e trancada num asilo não é brincadeira. Teremos de ir a Sunny Ridge?

— Onde está a outra carta, a da srta. Packard? Ah, sim, cá está. Vou juntar com a de Rockbury. É, ela diz que há certas coisas lá que presumivelmente agora me pertencem. Sabe, quando tia Ada foi morar no asilo levou alguns móveis. E decerto existem objetos de uso pessoal. Roupas e coisas assim. Creio que alguém terá de examinar tudo. Cartas etc. Sou o testamenteiro, de modo que isso cabe a mim. Acho que não deve haver nada que nós queiramos realmente manter, não é? A não ser por uma pequena escrivaninha que sempre me agradou. Parece que era do tio William.

— Pois fique com ela de lembrança — aconselhou Tuppence. — Senão, penso eu, pode-se mandar tudo para leilão.

— Portanto você não precisa ir de fato até lá — disse Tommy.

— Ah, mas eu acho que gostaria de ir.

— Você acha? Por quê? Será que não vai se chatear?

— O quê? De examinar as coisas dela? Que nada. Creio até que estou um pouco curiosa. Velhas cartas e joias de família sempre são interessantes, e acho que a gente deveria examiná-las pessoalmente em vez de apenas mandar para leilão ou delegar o serviço a estranhos. Não, vamos olhar tudo juntos, para descobrir se há alguma coisa que se queira guardar ou então liquidar.

— Por que é mesmo que faz tanta questão de ir? O motivo é outro, não é?

— Ah, meu Deus — Tuppence suspirou —, como é horrível ser casada com alguém que conhece a gente bem demais.

— Quer dizer que *há* outro motivo.

— Não propriamente.

— Ora, Tuppence. Não me diga que você é louca por remexer nas coisas alheias.

— Quanto a isso, considero um dever — respondeu, com firmeza. — Não, o outro único motivo é...

— Ande. Desembuche logo.

— Acho que gostaria de encontrar de novo aquele... aquele amor de velhinha.

— Qual? A que julgava que havia uma criança morta atrás da lareira?

— É — disse Tuppence. — Gostaria de falar com ela novamente. Eu só queria saber o que lhe passou pela cabeça ao dizer aquilo. Teria se lembrado de alguma coisa? Ou foi pura imaginação? Quanto mais penso, mais incrível me parece. Será que é uma história que ela mesma inventou ou... de fato houve alguma coisa em torno de uma lareira e uma criança morta? Por que razão deduziu que podia ser *minha*? Por acaso tenho jeito de quem perdeu uma filha?

— Não sei que aspecto você supõe que tenha alguém nessa hipótese — replicou Tommy. — Eu diria que não. Seja como for, Tuppence, nossa obrigação é ir. Se quiser divertir-se com suas conjeturas *macabras*, não faça cerimônia. Terá tempo de sobra. Então fica combinado. Escreveremos à srta. Packard e marcaremos o dia.

4

O quadro da casa

Tuppence suspirou fundo.

—Tudo continua na mesma — disse.

Estavam à porta de entrada de Sunny Ridge.

— E por que não haveria de estar? — perguntou Tommy.

— Não sei. É apenas uma sensação que me dá... algo relacionado com o tempo. Ele passa de uma maneira diferente em cada lugar. Tem alguns a que a gente volta e sente que tudo andou numa pressa tremenda, e que uma porção de coisas aconteceu... e mudou. Mas aqui... Tommy... você se lembra de Ostende?

— Ostende? Estivemos lá na nossa lua de mel. Claro que me lembro.

— E recorda-se daquele aviso? Tramstillstand... Caímos na risada. Parecia tão ridículo.

— Acho que foi em Knocke... não Ostende.

—Tanto faz... você lembra. Pois isto aqui é como aquela palavra: *Tramstillstand*, uma fusão de termos. O-tempo-não-se--mexe... Aqui nada mudou. O tempo simplesmente parou. Tudo continua na mesma. É que nem com os fantasmas, só que no sentido oposto.

— Não entendo o que você está dizendo. Será que pretende passar o dia inteiro aqui falando em tempo, sem ao menos tocar a campainha?... Para começo de conversa, tia Ada não está mais no asilo. Já é uma diferença.

Apertou o botão.

— E vai ser a única. Minha velhinha estará tomando leite, contando histórias de lareiras, a sra. não-sei-quem engolirá um dedal ou uma colherinha de chá, uma baixinha impagável sairá aos guinchos do quarto reivindicando seu chocolate, a srta. Packard descerá a escada e...

A porta se abriu. Uma moça de avental de nylon apareceu.

— Sr. e sra. Beresford? A srta. Packard os está esperando.

Preparava-se para introduzi-los na mesma sala da ocasião precedente quando a srta. Packard desceu a escada para recebê-los. Comportou-se de modo adequado, com menos desenvoltura que de costume. Seus gestos eram lentos, numa espécie de sentimento de condolência. Mas sem exageros, que poderiam ser embaraçosos. Mostrava-se perita na dosagem exata de pesar que seria aceitável.

Três vintenas de anos e uma década correspondiam à duração de vida consagrada na Bíblia, e as mortes em sua instituição raramente ocorriam em prazo inferior. Constituíam uma fatalidade perfeitamente natural.

— Que bom que vieram. Já deixei tudo em ordem para examinarem. Foi ótimo virem logo porque na verdade tem três ou quatro pessoas à espera de uma vaga. Tenho certeza de que compreenderão. Não pensem de modo nenhum que estou querendo apressá-los.

— Oh, não, evidente. Compreendemos muito bem — afirmou Tommy.

— Está tudo ainda no quarto que a srta. Fanshawe ocupava — explicou a srta. Packard.

Abriu a porta do dormitório onde tinha visto tia Ada pela última vez. Tinha aquele ar de abandono que sempre existe quando a cama, coberta pela colcha, mostra os contornos sob os lençóis dobrados e os travesseiros arrumados.

O armário estava aberto, e as roupas, colocadas em cima do leito, metodicamente empilhadas.

— O que costumam fazer... Quero dizer, o que fazem as pessoas geralmente com os vestidos e coisas assim? — perguntou Tuppence.

A srta. Packard, como sempre, foi competente e solícita.

— Posso fornecer o nome de duas ou três organizações de caridade que recebem de muito bom grado donativos dessa ordem. Ela tinha uma estola de pele e um casacão em excelentes condições, porém suponho que não teriam nenhuma serventia para a senhora. Quem sabe dispõe de outros meios beneficentes a quem entregar?

Tuppence sacudiu a cabeça.

— Há joias também — continuou a srta. Packard. — Guardei-as em lugar seguro. Estão na gaveta direita do toucador. Coloquei ali pouco antes de chegarem.

— Muito obrigado — disse Tommy — por todos esses incômodos.

Tuppence ficou contemplando um quadro pendurado em cima da lareira. Era uma pequena pintura a óleo de uma casa cor-de-rosa desbotada, adjacente a um canal cortado por uma pontezinha em arco, por baixo da qual havia um barco vazio desenhado na margem. Ao longe viam-se dois choupos. Uma cena bucólica muito agradável de olhar, mas apesar disso Tommy não logrou entender o motivo da atenção fervorosa de Tuppence.

— Que engraçado — murmurou ela.

Tommy fitou-a, intrigado. Sabia, de longa data, que às coisas que Tuppence considerava engraçadas não se aplicava, de jeito nenhum, semelhante qualificativo.

— O que você quer dizer, Tuppence?

— É engraçado. Nunca reparei neste quadro nas outras vezes em que estive aqui. Mas o estranho é que já vi essa casa em algum lugar. Ou talvez fosse uma parecida. Lembro perfeitamente... Engraçado que não consigo lembrar nem quando, nem onde.

— No mínimo reparou sem realmente reparar que estivesse reparando — sugeriu Tommy, com a impressão de que a escolha de palavras era um tanto ruim e quase tão penosamente repetitiva quanto a reiteração do vocábulo "engraçado" na boca de Tuppence.

— *Você* reparou, Tommy, quando viemos aqui antes?

— Não, mas decerto não olhei bem.

—Ah, aquele quadro — disse a srta. Packard. — Não, creio que não podiam tê-lo visto quando vieram aqui da última vez, porque tenho quase certeza de que não estava pendurado em cima da lareira na ocasião. Realmente pertencia a outra hóspede, que o deu de presente à sua tia. A srta. Fanshawe teve uma ou duas oportunidades de manifestar admiração por ele, e essa outra senhora lhe ofereceu, insistindo que ficasse com a pintura.

—Ah, bom — exclamou Tuppence —, então é evidente que eu não podia tê-lo visto antes. Mas ainda acho que conheço a casa. Você não, Tommy?

—Não — respondeu.

—Bem. Agora deixo-os a sós — anunciou a srta. Packard rapidamente. — Qualquer coisa que precisarem é só chamar.

Inclinou a cabeça de leve com um sorriso e saiu do quarto, fechando a porta.

—Acho que no fundo não vou com os dentes dessa mulher — comentou Tuppence.

—O que tem de errado com eles?

—O número excessivo. Ou o tamanho exagerado... "*Para comer você melhor, minha netinha*"... Que nem a avó da Chapeuzinho Vermelho.

—Você hoje parece que está com a corda toda, hein, Tuppence?

—Estou mesmo. Sempre considerei a srta. Packard muito simpática... mas, hoje, não sei por que, me causou uma impressão sinistra. Nunca se sentiu assim?

—Não, nunca. Ande, vamos terminar logo o que viemos fazer aqui... examinar os "bens" da pobre tia Ada, como dizem os advogados. Esta é a escrivaninha de que lhe falei... a do tio William. Gosta?

—Linda. Estilo regência, pelo jeito. Que bom que as pessoas que se mudam para cá podem trazer algumas de suas coisas. Não faço questão das cadeiras de pano, mas gostaria daquela mesa de costura. É exatamente o que faz falta naquele canto perto da janela onde pusemos aquela estante simplesmente horrorosa.

— Muito bem — concordou Tommy. — Vou anotar as duas.

— E ficaremos com o quadro da lareira. É uma pintura tremendamente simpática, e tenho absoluta certeza de que já vi a casa em algum lugar. Agora vejamos as joias.

Abriram a gaveta do toucador. Havia uma série de camafeus, uma pulseira florentina com um jogo de brincos e um anel encravado com diferentes pedras preciosas.

— Conheço esse tipo de anel — disse Tuppence. — Em geral, as iniciais das pedras formam uma palavra. Às vezes "Dearest".* Diamante, esmeralda, ametista, não, não é "dearest". Nem podia ser mesmo. Sou incapaz de imaginar alguém dando um anel que signifique "dearest" para a tia Ada. Rubi. esmeralda... O problema é que nunca se sabe por onde começar. Vou tentar de novo. Rubi, esmeralda, outro rubi, não, acho que é uma granada, uma ametista e outra pedra cor-de-rosa, desta vez deve ser um rubi, com um pequeno diamante no centro. Ora, claro que é "Regard".** Mas que bonito, realmente. Tão conservador e sentimental.

Experimentou-o no dedo.

— Creio que Deborah gostaria de ficar com ele — disse — e com o jogo florentino. Ela é completamente vidrada por coisas vitorianas. Como muita gente hoje em dia. Agora me parece que devíamos examinar as roupas, o que é sempre um tanto *mórbido*. Ah, cá está a estola de pele. Bastante valiosa, pelo jeito. Para mim eu não quero. Será que não existe alguém aqui... que tivesse sido especialmente bom para a tia Ada... ou talvez uma amiga íntima entre as outras moradoras... visitantes, quero dizer. Reparei que são chamadas de visitantes ou hóspedes. Nesse caso seria ótimo oferecer-lhe a estola. É zibelina legítima. Perguntaremos à srta. Packard. O resto pode ficar para os pobres. Então está tudo resolvido, não é? Vamos procurá-la logo. Adeus, tia Ada — disse em voz alta, voltando os olhos para a cama. — Estou contente por termos vindo daquela última vez. Pena que não simpatizasse comigo,

---

* Amada (N. do T.).
** Lembrança (N. do T.).

porém se essa falta de simpatia e as grosserias que me dirigiu lhe deram prazer, não guardo rancor. A senhora tinha que se divertir de *algum* modo. E não a esqueceremos. Sempre nos lembraremos toda vez que olharmos para a escrivaninha do tio William.

Saíram em busca da srta. Packard. Tommy explicou que mandariam buscar as duas mesas para serem levadas a seu endereço e combinariam com leiloeiros locais a remoção do resto da mobília. Deixava a critério dela a escolha das organizações de caridade dispostas a receber o vestuário, caso não fosse incômodo.

— Não sei se há alguém aqui interessado na estola de zibelina — disse Tuppence. — É muito bonita. Uma amiga íntima, talvez? Ou quem sabe uma das enfermeiras que trataram da tia Ada com maior zelo?

— É uma ideia muito generosa, sra. Beresford. Receio que a srta. Fanshawe não tivesse amigas íntimas entre as nossas visitantes, mas a srta. O'Keefe, uma das enfermeiras, fez bastante por ela, mostrando-se especialmente boa e jeitosa. Tenho a impressão de que ficaria satisfeita e honrada com o presente.

— E há o quadro da lareira — lembrou Tuppence. — Gostaria de levá-lo... Contudo, talvez a proprietária, que o deu para ela, preferisse recebê-lo de volta. Não seria melhor pedir-lhe...

— Ah, sinto muito, sra. Beresford — atalhou a srta. Packard —, mas infelizmente não vai ser possível. Quem o ofereceu à srta. Fanshawe foi a sra. Lancaster, que não mora mais conosco.

— Não mora mais? — estranhou Tuppence. — A sra. Lancaster? Uma que eu vi da última vez em que estive aqui... De cabelo branco puxado para trás? Eu a havia encontrado lá embaixo, tomando leite na sala de estar. A senhora está dizendo que ela foi embora?

— Sim. Tudo aconteceu de uma hora para outra. A sra. Johnson, uma parenta, levou-a faz uma semana. Quando menos se esperava, voltou da África, onde passou quatro ou cinco anos... Como ela e o marido vão morar na Inglaterra, poderão cuidar da sra. Lancaster em seu lar. Acho que a sra. Lancaster não estava com muita vontade de ir. Ficou tão... acostumada conosco, dava-se otimamente com todo mundo e era feliz. Mostrou-se bem abalada, quase caiu em prantos... Mas o que se há de fazer? A opinião dela não pesava na balança, naturalmente, porque os Johnson pagavam pela sua estada. Cheguei a sugerir que, uma vez que morara havia tanto tempo no asilo e sentira-se tão à vontade, talvez fosse aconselhável deixá-la aqui...

— Quanto tempo fazia? — indagou Tuppence.

— Oh, quase seis anos, acho. Sim, mais ou menos. Por isso decerto já se sentia em casa.

— É — concordou Tuppence. — É fácil de compreender.

Franziu a testa, olhou de relance para Tommy e depois ergueu o queixo com ar resoluto.

— É uma lástima que tenha partido. Quando conversamos tive a impressão de que já a conhecia... O rosto parecia tão familiar. Depois então me ocorreu que a tinha visto na companhia de uma velha amiga minha, a sra. Blenkinsop. Pensei que ao tornar a visitar tia Ada pudesse certificar-me disso. Mas naturalmente que, se ela foi morar com os parentes, isso muda tudo.

— Compreendo perfeitamente, sra. Beresford. Se uma das nossas visitantes consegue entrar em contato com velhas amizades ou com alguém que certa vez conheceu pessoas de seus círculos, faz uma grande diferença para elas. Não me recordo de tê-la ouvido mencionar qualquer sra. Blenkinsop, mas em todo caso não creio que houvesse possibilidade de isso acontecer.

— Poderia me contar um pouco mais a respeito dela? Quem eram esses parentes e como veio morar aqui?

— Não há muito para contar, realmente. Como lhe disse, há cerca de seis anos recebemos cartas da sra. Johnson pedindo informações e depois ela veio pessoalmente ver o asilo. Falou que uma amiga dera boas referências de Sunny Ridge, queria saber quais eram as condições e tudo o mais... e foi embora. Após uma ou duas semanas, um escritório de procuradores de Londres nos escreveu solicitando maiores detalhes, até que finalmente comunicaram seu desejo de que aceitássemos a sra. Lancaster e que a sra. Johnson a traria aqui dali a sete dias, no máximo, caso houvesse vaga. Como de fato havia, a sra. Johnson a trouxe, e ela pareceu simpatizar com o lugar e com o quarto reservado. A sra. Johnson disse que a sra. Lancaster tinha vontade de trazer algumas de suas coisas. Não fiz objeção, pois todas em geral trazem e ficam muito mais felizes. De maneira que se combinou tudo de forma satisfatória. A sra. Johnson explicou que a sra. Lancaster era parenta afastada de seu marido, mas que se sentiam preocupados com ela porque estavam de partida para a África... para a Nigéria, creio, onde o sr. Johnson ia ocupar um cargo e era provável que passassem alguns anos lá antes de voltarem para a Inglaterra. Como não tinham uma casa em que a sra. Lancaster pudesse ficar, queriam certificar-se de que seria aceita num lugar que lhe contentasse. Pelas referências que tinham daqui, estavam absolutamente certos de que serviria. Portanto ficou tudo muito bem solucionado, e a sra. Lancaster instalou-se conosco tranquilamente.

— Compreendo.

— Todas gostavam muito dela. Era um pouco... bem, sabe como é... distraída. Quero dizer, esquecida, confundindo as coisas, sem conseguir lembrar-se, às vezes, de nomes e endereços.

— Recebia muitas cartas? — perguntou Tuppence. — Refiro-me à correspondência e pacotes do estrangeiro.

— Olhe, eu acho que a sra. Johnson... ou o marido... escreveu cerca de duas vezes da África, mas só durante o primeiro ano. É uma pena, sabe, porém a gente esquece. Principalmente quando se muda para um país novo, numa vida diferente. E não penso que antes, tampouco, tivessem muito contato com ela. Creio que era apenas uma parenta afastada, uma responsabilidade da família, e resumia-se a isso. Todas as providências foram tomadas pelo procurador, o sr. Eccles, uma firma muito boa, de confiança. Para dizer a verdade, tínhamos feito algumas transações por intermédio dele, de modo que já nos conhecíamos. Mas tenho a impressão de que a maior parte dos amigos e relações da sra. Lancaster eram falecidos, e assim praticamente não recebia notícias de ninguém. Acho até que jamais recebeu qualquer visita aqui. Não, espere. Um cavalheiro muito simpático apareceu um ano depois.

Creio que não a conhecia pessoalmente, porém era amigo da sra. Johnson e também estivera trabalhando no exterior. Parece que veio apenas averiguar se ia bem e se sentia-se feliz.

— E a partir de então — disse Tuppence —, todo mundo se esqueceu dela.

— Receio que sim — confirmou a srta. Packard. — Que tristeza, não é mesmo? Mas o contrário é que seria de estranhar. Ainda bem que a maioria faz novas amizades aqui. Ficam amigas de alguém com quem combinem de gênio ou que tenha recordações em comum, e assim tudo se resolve da melhor maneira. Creio que quase todas esquecem boa parte do passado.

— Imagino que algumas — disse Tommy — sejam um pouco... — procurou a palavra — um pouco... — baixou rapidamente a mão que se tinha aproximado, hesitante, da testa. — Não quero me referir a...

— Oh, compreendo perfeitamente o que o senhor quer dizer — retrucou a srta. Packard. — Não acolhemos doentes mentais, sabe, mas de fato temos o que se pode chamar de casos limítrofes. Isto é, pessoas um tanto senis... incapazes de cuidar devidamente de si mesmas ou com certas fantasias e imaginações. Às vezes se tomam por personagens históricas. Da maneira mais inofensiva. Já tivemos duas Marias Antonietas, uma das quais vivia falando num tal de Petit Trianon e bebendo leite sem parar, algo que ela parecia associar ao lugar. E tivemos uma velhinha comovente que insistia ser a madame Curie e que havia descoberto o rádio. Lia sempre os jornais com grande interesse, sobretudo as notícias a respeito de bombas atômicas ou descobertas científicas. Então explicava que foram ela e o marido quem primeiro fizeram experiências nesse sentido. Ilusões inócuas, que conseguem trazer felicidade na velhice. E em geral não são ininterruptas, sabem? Ninguém passa o dia inteiro bancando Maria Antonieta ou mesmo madame Curie. Costuma acontecer numa média de uma vez a cada quinzena. Depois eu acho provável que fiquem cansadas de manter a representação sem parar. Aliás, na maioria dos casos, sofrem apenas de perda de memória. Não se lembram muito bem da própria identidade. Ou então vivem repetindo que se esqueceram de algo ultraimportante, que se ao menos pudessem ter uma ideia... esse tipo de coisas.

— Sei — disse Tuppence. Hesitou e afinal continuou: — A sra. Lancaster... ela se recordava sempre de episódios relacionados exclusivamente com a lareira da sala de estar? Ou era com qualquer uma?

A srta. Packard arregalou os olhos.

— Lareira? Não entendo o que a senhora quer dizer.

— Foi uma coisa que ela falou e eu não compreendi... Talvez fizesse uma associação desagradável com uma lareira ou lesse alguma história que a assustasse.

— Provavelmente.

— Continuo um pouco preocupada com o quadro que ela deu para a tia Ada — insistiu Tuppence.

— Francamente, acho que não há motivo, sra. Beresford. No mínimo a esta altura já se esqueceu de tudo. Não julgo que o prezasse de modo especial. Ficou simplesmente contente com o entusiasmo da srta. Fanshawe e ficou feliz em dá-lo de presente. Estou certa de que gostaria que a senhora ficasse com o quadro. Embora eu não entenda de pintura, também me parece muito bonito.

— Olhe, farei o seguinte. Vou escrever à sra. Johnson, se me der o endereço, só para perguntar se não faz mal eu ficar com ele.

— O único endereço que tenho é o do hotel em que iam se hospedar em Londres... O Cleveland, acho. Sim, Hotel Cleveland, George Street, W.1. Deviam passar quatro ou cinco dias lá, e parece que depois seguiriam para a Escócia, para visitar alguns parentes. O Cleveland certamente deve ter o endereço posterior.

— Bem, obrigada... E agora, quanto a esta estola de pele da tia Ada...

— Vou chamar a srta. O'Keefe.

Saiu do quarto.

— Você e sua sra. Blenkinsop — brincou Tommy.

Tuppence não se deu por vencida.

— Uma de minhas melhores criações — afirmou. — Ainda bem que me lembrei dela... estava quebrando a cabeça para pensar num nome, e de repente me veio a sra. Blenkinsop. Foi divertido, hein?

— Faz tanto tempo... Nada de espiões em época de guerra e contraespionagem para nós.

— Pois é, que pena. *Era* divertido... morar naquela pensão... inventar uma nova personalidade para mim... realmente cheguei a acreditar que era a sra. Blenkinsop.

—Você teve sorte em escapar ilesa — disse Tommy. — E, na minha opinião, como certa vez já lhe falei, exagerou.

— Não exagerei coisa nenhuma. Eu estava perfeitamente integrada no papel. Uma mulher simpática, um pouco tola, que só vivia pros três filhos.

— É isso que eu quero dizer. Um seria mais que suficiente. Três representavam uma carga excessiva.

—Tornaram-se completamente reais para mim — afirmou Tuppence. — Douglas, Andrew e... credo, me esqueci do nome do terceiro! Sei exatamente a aparência que tinham, o caráter, onde estavam servindo, e comentava da maneira mais indiscreta as cartas que me mandavam.

— Pois tudo já acabou — disse Tommy. — Não há nada para descobrir neste lugar... portanto, esqueça-se da sra. Blenkinsop. Depois que eu estiver morto e enterrado, e você houver respeitado um período decoroso de luto, indo residir num asilo, no mínimo há de passar metade do tempo pensando que é a sra. Blenkinsop.

—Vou me entediar com só uma personagem para interpretar — retrucou Tuppence.

— Por que você acha que as velhas *querem* ser Maria Antonieta e madame Curie e não sei mais o quê? — perguntou.

— Decerto porque se chateiam. É a coisa mais fácil de acontecer. Tenho certeza de que *você* faria o mesmo se não pudesse usar as pernas para caminhar por aí, ou tivesse os dedos rígidos demais para tricotar. A gente procura desesperadamente se divertir com qualquer coisa e então experimenta alguma personagem célebre, para ver a sensação que dá. Entendo perfeitamente.

— Não duvido — disse Tommy. — Pobre do asilo que a receber. No mínimo bancará Cleópatra quase o tempo todo.

— Não serei uma pessoa famosa — protestou Tuppence. — Mas alguém como uma copeira no castelo de Anne de Cleves,* espalhando uma porção de mexericos picantes que ouvi por aí.

A porta se abriu, e a srta. Packard entrou acompanhada por uma moça alta e sardenta, vestida de enfermeira e com uma vasta cabeleira ruiva.

— Esta é a srta. O'Keefe... Sr. e sra. Beresford. Querem falar uma coisa com você. Com licença, sim? Uma das pacientes está me chamando.

Tuppence entregou, como convinha, a estola de pele da tia Ada, e a enfermeira O'Keefe ficou em êxtase.

— Oh! Que beleza! Mas é muito luxuosa para mim. A senhora há de querer guardar...

— Não, realmente. Fica comprida demais para a minha altura. É ideal para uma moça alta como você. Tia Ada também era alta.

— Ah! Uma verdadeira dama... devia ter sido linda na juventude.

— Creio que sim — retrucou Tuppence com ar incrédulo. — Mas garanto que foi uma fera para quem cuidou dela.

— Ah, de fato foi. Porém tinha muita fibra. Nada conseguia derrotá-la. E ninguém a fazia de boba. A senhora ficaria surpresa com as coisas que ela sabia. Esperta que só vendo.

— Mas tinha um gênio...

— Não resta dúvida. No entanto o tipo lamuriento é o que incomoda mais... cheias de queixas e gemidos. A srta. Fanshawe nunca foi insípida. Contava histórias fabulosas do passado... Certa vez, quando era jovem, subiu a escadaria de uma casa de campo a cavalo, ou pelo menos dizia... Será verdade?

— Olhe, eu não me fiaria muito — observou Tommy.

---

* Quarta esposa de Henrique VIII. (N. do T.)

—Aqui a gente nunca sabe no que acreditar. As coisas que essas velhas inventam! Criminosas que identificaram... precisamos avisar a polícia imediatamente... senão todos corremos perigo.

— Da última vez em que viemos aqui, alguém estava sendo envenenado — lembrou Tuppence.

—Ah! Era apenas a sra. Lockett. A cena se repete todos os dias. Mas não é a polícia que ela quer, é o doutor... É maluca por médicos.

— E alguém... uma baixinha... reivindicava o chocolate...

— Devia ser a sra. Moody. Coitada, se foi.

— Foi embora, quer dizer... partiu?

— Não... uma trombose levou-a... de uma hora para a outra. Era muito afeiçoada à sua tia... não que a srta. Fanshawe sempre tivesse paciência com ela... falava feito uma matraca...

— Soube que a sra. Lancaster não está morando mais aqui.

— Sim, a família veio buscá-la. Não queria ir por nada, pobrezinha.

— Como era mesmo a história que ela me contou... a respeito da lareira na sala de estar?

—Ah! Aquela vivia com uma porção de histórias... sobre coisas que tinham acontecido com ela... e os segredos que sabia...

— Havia algo em relação a uma criança...raptada ou assassinada...

— Inventam os negócios mais cabulosos. Tiram quase todas essas ideias da televisão...

—Você não se cansa de trabalhar aqui com toda essa velharia? Deve ser exaustivo.

— Oh, não... eu gosto de gente velha... Foi por isso que me dediquei à geriatria...

— Faz muito tempo que está no asilo?

— Um ano e meio... — Houve uma pausa. — Mas vou-me embora no mês que vem.

—Ah, é? Por quê?

Pela primeira vez a enfermeira O'Keefe demonstrou certo constrangimento.

— Bem, a senhora sabe, sra. Beresford, é bom mudar de vez em quando...

— Mas continuará no mesmo tipo de serviço?

— Oh, sim... — Pegou a estola de pele. — Agradeço-lhe muito novamente... e fico contente, também, por guardar uma recordação da srta. Fanshawe... Era uma verdadeira dama... Hoje em dia são raras.

5

O desaparecimento da velhinha

As COISAS de tia Ada chegaram no tempo previsto. A escrivaninha foi instalada e admirada. A pequena mesa de costura substituiu a estante, relegada a um canto escuro do vestíbulo. E Tuppence pendurou o quadro da casa cor-de-rosa desbotada à beira do canal em cima da lareira de seu quarto de dormir, onde podia vê-lo todas as manhãs enquanto tomava chá.

Sentindo a consciência ainda um pouco pesada, escreveu uma carta explicando como a pintura viera parar em suas mãos, mas que, na hipótese de a sra. Lancaster querê-la de volta, bastava avisar. Endereçou o envelope aos cuidados da sra. Johnson, Hotel Cleveland, George Street, Londres W. 1.

Não houve resposta, porém uma semana depois a carta foi devolvida com a frase "Destinatário desconhecido no endereço" rabiscada no verso.

— Que chato — comentou Tuppence.

— Talvez tenham passado apenas uma ou duas noites lá — sugeriu Tommy.

— Sim, mas seria de supor que deixassem o novo endereço...

— Você não pôs "Favor encaminhar" no envelope?

— Pus, sim. Já sei, vou telefonar para lá e perguntar... Devem ter anotado um domicílio qualquer no livro de registros...

— Se eu fosse você, não me incomodava mais — opinou Tommy. — Para que tanto rebuliço? No mínimo a velhinha já esqueceu tudo a respeito do quadro.

— Não custa tentar.

Tuppence sentou-se ao lado do telefone e em breve conseguia ligação com o Hotel Cleveland.

Minutos mais tarde reapareceu no gabinete de Tommy.

— Que coisa esquisita, Tommy... elas não *estiveram* lá. Nem a sra. Johnson... nem a sra. Lancaster... nunca houve reservas de acomodações nesses nomes... ou qualquer indício de que se tenham hospedado ali antes.

—Vai ver a srta. Pakard se enganou de hotel. Anotou às pressas... e depois talvez perdeu... ou lembrou errado. Sabe como são essas coisas.

— Sim, mas eu não esperava que isso acontecesse em Sunny Ridge. A srta. Packard sempre foi a eficiência personificada.

— Quem sabe não reservaram com antecedência, o hotel estava lotado, e por isso tiveram de procurar outro? Encontrar lugar em Londres é difícil... Escute, você vai insistir ainda?

Tuppence retirou-se.

Dali a pouco voltou.

— Já sei o que vou fazer: telefonar para a srta. Packard e pedir o endereço dos procuradores...

— Que procuradores?

— Não se lembra do que ela disse a respeito de uma firma que se encarregou de todas as providências porque os Johnson estavam no exterior?

Tommy, entretido com o rascunho de um discurso que teria de pronunciar numa conferência dentro de poucos dias, estava repetindo baixinho: "... a *solução adequada na hipótese dessa contingência...*" e perguntou:

— Como se soletra contingência, Tuppence?

—Você ouviu o que eu disse?

— Sim, a ideia é muito boa... Ótima... Excelente... Faça exatamente isso...

Tuppence saiu, mostrou a cabeça de novo e respondeu:

— C-o-n-s-i-s-t-ê-n-c-i-a.

— Não pode ser...Você entendeu errado.

— O que é que está escrevendo aí?

— O ensaio que vou ler brevemente na UISA, e pelo amor de Deus me deixe trabalhar nisso em paz.

— Desculpe.

Tuppence desapareceu.

Tommy continuou redigindo e riscando frases. Sua fisionomia já começava a se animar, à medida que o ritmo da escrita aumentava... quando a porta se abriu novamente.

— Cá está — anunciou Tuppence. — Partingdale, Harris, Lockeridge & Partingdale, 32 Lincoln Terrace, W.C.2 telefone: Holborn 051386. O sócio ativo da firma é o sr. Eccles. — Colocou uma folha de papel junto do cotovelo de Tommy. — Agora *você* assuma o comando.

— Não! — protestou Tommy com firmeza.

— Sim! Ela era *sua* tia.

— Que negócio de tia é esse? A sra. Lancaster não é minha tia.

— Mas trata-se de um escritório de *advogados* — insistiu Tuppence. — E lidar com eles sempre foi assunto de homem. Consideram as mulheres umas tontas desatentas...

— Opinião muito razoável, por sinal — retrucou Tommy.

— Ah! Tommy... ajude, *por favor*. Vá telefonar enquanto eu trago o dicionário e verifico como se soletra contingência.

Tommy lançou-lhe um olhar, mas foi.

Finalmente voltou.

— O assunto está encerrado, Tuppence — anunciou, inabalável.

— Falou com o sr. Eccles?

— Para ser mais exato, falei com um tal de sr. Wills, que evidentemente é o mediador de um trio de advogados incomunicáveis. Mas ele se mostrou bem informado e desenvolto. Todas as cartas e comunicações seguem por intermédio do Southern Counties Bank, agência Hammersmith, que se encarrega de entregá-las aos destinatários. E nesse ponto, Tuppence, é bom que você saiba, *acaba* a pista. Os bancos podem servir de intermediários... porém não cedem endereços a ninguém, por mais que se insista. Têm um regulamento e cumprem-no ao pé da letra... Observam uma discrição tão pomposa quanto a do primeiro-ministro.

— Muito bem. Mandarei uma carta aos cuidados do banco.

— Então mande... e *vá-se embora*, pelo amor de Deus... senão nunca termino este discurso.

— Obrigada, querido. Não sei o que faria sem você. Beijou-lhe o cabelo.

— Manteiga melhor não há — completou Tommy.

II

Foi só na noite da quinta-feira seguinte que Tommy perguntou de repente:

— A propósito, você recebeu alguma resposta da carta que enviou à sra. Johnson por intermédio do banco?

— Que lembrança amável — comentou Tuppence, sardônica. — Não recebi, não. — E acrescentou, pensativa: — E acho que tampouco receberei.

— Por quê?

— Você não está de fato interessado — retrucou friamente.

— Escute aqui, Tuppence... Sei que tenho andado um pouco distraído... Tudo por causa dessa UISA. Ainda bem que é só uma vez por ano.

— Começa segunda-feira, não? Durante cinco dias...

— Quatro.

— E todos vão se reunir numa casa que ninguém sabe onde fica, ultrassigilosa, em pleno campo, para fazer discursos, ler ensaios e treinar gente moça para missões supersecretas na Europa e alhures. Esqueci o que significa UISA. Essa mania de siglas que há hoje em dia...

— União Internacional de Segurança Aliada.

— Que nome! Chega a ser ridículo. E no mínimo o lugar está cheio de microfones ocultos, e todo mundo fica sabendo detalhes das conversas mais reservadas.

— É bem provável — admitiu Tommy sorrindo.

— E pelo visto você acha divertido?

— Pois de certo modo, sim. A gente encontra uma porção de velhos amigos.

— Praticamente gagás, imagino. E obtêm algum resultado?

— Puxa, que pergunta! Não creio que ninguém possa responder com um mero sim ou não...

— E os elementos que tomam parte servem para alguma coisa?

— Eu diria que sim. Tem gente realmente muito boa.

— O velho Josh irá?

— Irá, sim.

— Como ele é atualmente?

— Surdo como uma porta, quase cego, atacado de reumatismo... e você ficaria assombrada com as coisas que *não* lhe escapam.

— Sei — disse Tuppence. Pensou um pouco. — Quem dera que eu também pudesse ir.

Tommy pareceu contrito.

— No mínimo encontrará algo para fazer enquanto eu estiver ausente.

— Sou bem capaz — falou Tuppence, distraída.

O marido olhou para ela com a vaga apreensão que Tuppence sempre lhe causava.

— Tuppence... o que é que você está tramando?

— Até agora, nada... Por enquanto não passa de ideia.

— Sobre o quê?

— Sunny Ridge. E uma boa velhinha tomando leite e falando de um jeito meio biruta a respeito de crianças mortas e lareiras. Aquilo me intrigou. Na ocasião achei que devia averiguar mais da próxima vez que fôssemos visitar tia Ada... Mas não houve próxima vez porque ela morreu... E quando voltamos a Sunny Ridge... a sra. Lancaster tinha... desaparecido!

— Você quer dizer, a família a tinha levado. Isso não é desaparecimento... é até normal.

— É desaparecimento, sim... Nenhum endereço que se possa descobrir... cartas sem resposta... é um desaparecimento planejado. Cada vez tenho mais certeza.

— Mas...

Tuppence atalhou logo esse "Mas":

— Escute, Tommy... suponhamos que tivesse ocorrido realmente um crime... aparentemente seguro e encoberto... Imagine então que alguém da família haja presenciado ou saiba de qualquer coisa... uma pessoa idosa e tagarela... com mania de falar para todo mundo... que de repente se revelasse como um autêntico perigo... O que é que você faria?

— Arsênico na sopa? — sugeriu Tommy, bem-disposto. — Uma pancada na cabeça... Empurrar do alto da escada...?

— Seria exagero... Mortes súbitas chamam atenção. Havia de procurar uma solução mais simples... e encontraria. Um asilo para velhice respetável e tranquilo. Ia visitá-lo, intitulando-se sra. Johnson ou sra. Robinson... ou conseguiria um inocente útil para tratar de tudo... Acertando os detalhes financeiros através de uma firma de procuradores da mais inteira confiança. Tendo já, talvez, insinuado que essa parenta idosa sofre às vezes de fantasias e ilusões inofensivas... como a maioria das velhas... Ninguém acharia estranho... se ela começasse a matraquear sobre leite envenenado, crianças mortas atrás de lareiras ou um rapto sinistro: ninguém prestaria atenção. Pensariam apenas, ih, lá vem a coitada da sra. Fulana de Tal de novo com suas manias... Ninguém daria a *mínima*.

— Exceto a sra. Thomas Beresford — disse Tommy.

— Está bem, *admito*. Eu *dei*...

— Mas por quê?

— Não sei — respondeu Tuppence devagar. — É como nos contos de fada. *Pelo comichar/Do meu polegar/Sei que deste lado/Vem vindo um malvado...* De repente senti medo. Sempre imaginara Sunny Ridge como um lugar tão adequado, normal... e de uma hora para a outra fiquei na dúvida... Não há outro modo de explicar. Queria descobrir mais. E então a pobre da sra. Lancaster desaparece. Alguém deu um sumiço nela.

— Mas por que motivo?

— Só posso supor que estivesse piorando... do ponto de vista deles... lembrando melhor, talvez, falando mais abertamente, ou, quem sabe, houvesse reconhecido alguém... ou tivesse sido identificada... ou viesse a saber de algo que lhe deu novas ideias a respeito do que acontecera anteriormente. Fosse qual fosse o motivo, convertera-se num perigo iminente.

— Olhe aqui, Tuppence, essa história toda está cheia de *algos* e *alguéns*. É apenas uma ideia sua. Não vá querer se meter em coisas que não lhe dizem respeito...

— De acordo com sua dedução, não existe nada para eu me meter — retrucou Tuppence. — Portanto não precisa se preocupar.

— Esqueça-se de Sunny Ridge.

— Não pretendo voltar lá. Creio que disseram tudo o que sabiam. Acho que a velha gozou de perfeita segurança enquanto morou no asilo. Quero descobrir onde ela está *atualmente*... para chegar *a tempo*... antes que lhe suceda alguma coisa.

— Que diabo você pensa que pode lhe suceder?

— Nem gosto de pensar. Porém estou na pista... vou ser Prudence Beresford, investigadora particular. Lembra-se de quando éramos os argutos investigadores de Blunt?

— *Eu* era — corrigiu Tommy. — *Você* era a srta. Robinson, minha secretária particular.

— Nem sempre. Em todo caso, é o que eu serei enquanto você estiver brincando de espionagem internacional naquele solar ultrassecreto. Ficarei ocupada com a operação "Salvem a sra. Lancaster".

— E provavelmente há de encontrá-la sã e salva.

— Tomara que sim. Ninguém se alegraria mais do que eu.

— Por onde pretende começar?

— Como lhe disse, primeiro tenho de pensar. Quem sabe colocando um anúncio no jornal? Não, seria um erro.

— Bem, tome cuidado — aconselhou Tommy, meio desajeitado.

Tuppence não se dignou a responder.

III

Na segunda-feira de manhã, Albert, o principal esteio da vida doméstica dos Beresford durante uma infinidade de anos, desde que fora incitado a aderir às atividades anticriminosas de ambos na época em que não passava de um jovem ascensorista ruivo, largou a bandeja do chá matinal na mesa entre as duas camas, abriu as cortinas, anunciando que fazia um belo dia, e removeu sua atual forma corpulenta do quarto.

Tuppence bocejou, sentou-se, esfregou os olhos, serviu-se de uma xícara de chá, colocando dentro uma fatia de limão, e comentou que o dia, de fato, parecia lindo, apesar da temeridade das previsões.

Tommy virou-se para o outro lado e resmungou.

— Acorde — disse Tuppence. — Lembre-se de que hoje terá de ir ao tal lugar.

— Ai, Deus. — Tommy suspirou. — É mesmo.

Sentou-se também e serviu-se de chá. Contemplou com admiração o quadro em cima da lareira.

— Devo confessar, Tuppence, que esse seu quadro é realmente bonito.

— É a maneira com que o sol entra de lado na janela e o ilumina.

— Tranquilo — descreveu Tommy.

— Se ao menos me lembrasse de onde foi que o vi antes.

— Acho que não tem importância. Acabará se lembrando.

— Não adianta. Eu queria saber *agora*.

— Mas por quê?

— Não entende? É a única pista que tenho. Pertencia à sra. Lancaster...

— Ora, de qualquer jeito uma coisa nada tem a ver com a outra. Quero dizer, é fato que o quadro era dela. Porém talvez tivesse comprado numa exposição, como aliás qualquer membro da família poderia ter feito. Quem sabe não ganhou de presente? Levou junto para Sunny Ridge porque era bonito. Não vejo motivo para que estivesse ligado *pessoalmente* a ela. Nesse caso, não teria dado para a tia Ada.

— É a única pista que tenho — repetiu Tuppence.

— É uma casa agradável e tranquila.

— Mesmo assim, acho que está vazia.

— Em que sentido?

— Não creio que more alguém nela. Tenho certeza de que ninguém jamais sairá daquela porta, para cruzar a ponte, desamarrar o barco e ir embora.

— Pelo amor de Deus, Tuppence. — Tommy olhou-a fixamente. — O que há com você?

— Foi o que pensei da primeira vez que a vi — continuou Tuppence. — Disse comigo mesma: "Que bom seria morar nessa casa." Porém logo achei: "Mas com certeza ninguém mora aí." Isso prova que já a conhecia. Espere um pouco. Espere... Estou lembrando. Estou, sim.

Tommy arregalou os olhos.

— De uma *janela* — prosseguiu Tuppence, ofegante. — Seria a de um carro? Não, não, o ângulo estaria errado. Percorrendo a margem do canal... e uma pontezinha em arco e as paredes cor-
-de-rosa da casa, os dois choupos, mais do que dois. Havia *uma porção* de choupos. Ah, meu Deus, meu Deus, se eu pudesse...

— Ora, Tuppence, pare com isso.

— Hei de lembrar.

— Santo Deus! — Tommy consultou o relógio de pulso. — Tenho de correr. Você com seu quadro *déjà-vu*.

Saltou da cama e correu até o banheiro. Tuppence recostou-se nos travesseiros e fechou os olhos, tentando forçar uma recordação que simplesmente se recusava, esquiva, à sua apreensão.

Tommy estava enchendo a segunda xícara de café na sala de jantar quando ela surgiu, vibrante de triunfo.

— Descobri... sei onde vi a casa. Foi da janela de um trem.

— Onde? Quando?

— Não sei. Vou ter de pensar. Lembro que disse comigo mesma: "Um dia hei de dar uma olhada naquela casa"... e tentei verificar o nome da próxima parada. Mas sabe como são as estradas de ferro hoje em dia. Derrubaram metade das estações... e quando passamos pela seguinte, estava toda destruída, coberta de grama em cima das plataformas e sem placa com nome nem coisa nenhuma.

— Que diabo, onde está minha pasta? Albert!

Começou uma busca frenética.

Tommy voltou para dar um adeus esbaforido. Encontrou Tuppence sentada, fitando, pensativa, um ovo frito.

— Até a volta — disse ele. — E pelo amor de Deus, Tuppence, não vá meter o bedelho no que não é de sua conta.

— Eu acho — respondeu ela, distraída — que o que eu vou fazer mesmo é passear de trem.

Tommy pareceu levemente aliviado.

— Boa ideia — aprovou, estimulando-a. — Compre um passe de trem. Há um plano qualquer pelo qual é possível viajar mais de mil quilômetros por todas as Ilhas Britânicas ao custo de uma quantia muito razoável, feito de encomenda para você, Tuppence. Pode andar em tudo quanto é trem para tudo quanto é lugar. Terá com o que se entreter até eu voltar.

— Dê lembranças ao Josh.

— Darei. — E acrescentou, olhando inquieto para a esposa: — Pena que você não possa vir junto. Não... faça nenhuma bobagem, hein?

— Fique descansado — respondeu Tuppence.

6

Tuppence na pista

— Ah, meu Deus — Tuppence suspirou.

Olhou em torno, desanimada. Confessou para si mesma que jamais se sentira tão infeliz. Claro que sabia que sentiria falta de Tommy, mas não a tal ponto.

Durante todos aqueles anos de vida conjugal quase nunca haviam ficado separados por qualquer lapso de tempo. Já antes do casamento consideravam-se um casal de "jovens aventureiros". Tinham enfrentado juntos várias dificuldades e perigos, casaram-se, tiveram dois filhos e, quando o mundo começava justamente a ficar insípido e velho para ambos, estourara a guerra e, de um modo que se lhes afigurava quase miraculoso, viram-se novamente enredados nas malhas do Serviço Secreto Britânico. Esse par algo heterodoxo fora recrutado por um sujeito calmo e indefinível, que se intitulava "sr. Carter", mas diante dessa palavra todos pareciam curvar-se. Praticaram façanhas, novamente juntos, o que não constava, diga-se de passagem, dos planos do sr. Carter. Tommy tinha sido o único recrutado. Mas Tuppence, recorrendo a seu manancial de expedientes, conseguiu bisbilhotar de tal maneira que, ao chegar a uma pensão da orla marítima caracterizado como um certo sr. Meadows, a primeira pessoa que Tommy encontrou foi uma senhora de meia-idade brandindo agulhas de tricô que ergueu uns olhos inocentes para ele e a quem teve de cumprimentar como sra. Blenkinsop. A partir de então agiram em parceria.

— Desta vez, contudo — pensou Tuppence —, não posso proceder assim.

Por mais que bisbilhotasse, recorresse a expedientes ou coisa equivalente, nada a levaria aos recessos do solar ultrassecreto ou a participar das complexidades da UISA. Idêntico a um clube exclusivamente masculino, concluiu, ressentida. Sem Tommy, o apartamento ficava deserto, o mundo era triste.

— Que diabo posso fazer sozinha? — imaginou.

Eis uma indagação puramente retórica, pois já tomara as primeiras providências para pôr seu plano em ação. Desta feita não se tratava de serviço secreto, contraespionagem ou operações congêneres. Nada em caráter oficial. "Prudence Beresford, investigadora particular, essas são as minhas credenciais", disse consigo mesma.

Depois que os restos de um almoço frugal foram removidos às pressas, a mesa da sala de jantar se viu semeada de horários de ferrovias, indicadores, mapas e um punhado de velhos diários que Tuppence lograra tirar do esquecimento.

Numa determinada ocasião dos últimos três anos (estava certa de que não fazia mais tempo) empreendera uma viagem de trem, e olhando pela janela do vagão, reparara numa casa. Mas que viagem teria sido?

A exemplo da maior parte das pessoas hoje em dia, os Beresford viajavam quase sempre de carro. Era muito raro tomarem um trem.

Para a Escócia, naturalmente, quando visitavam Deborah, a filha casada, o percurso, porém, era feito à noite.

Penzance... durante os veraneios... mas Tuppence conhecia a linha de cor e salteado.

Não, havia sido uma viagem muito mais casual.

Com zelo e perseverança, organizou uma lista meticulosa de todos os possíveis trajetos que percorrera e que pudessem corresponder ao alvo de sua busca. Um ou dois programas de regatas, uma visita a Northumberland, dois lugares prováveis em Gales, um batizado, dois casamentos, um leilão a que tinham assistido, alguns cachorrinhos que certa vez entregara, em nome de uma amiga que fazia criação e estava acamada com gripe. O ponto de encontro ficava situado num entroncamento rural de aspecto inóspito, cujo nome não conseguia recordar.

Suspirou. Pelo visto, teria de adotar a solução sugerida por Tommy... Comprar uma espécie de bilhete circular e de fato percorrer os trechos mais prováveis da rede ferroviária.

Por via das dúvidas, anotou numa pequena agenda todos os fragmentos de lembranças esparsas... vagos lampejos de memória.

Um chapéu, por exemplo... Sim, um chapéu que arremessara à prateleira da cabina. Se usara um... então... só podia ser casamento ou batizado... os cachorrinhos certamente não.

E... outro lampejo de memória... descalçando os sapatos... por causa dos pés doloridos. Sim... não havia mais dúvida... estava realmente olhando a casa... e tirara os sapatos porque os pés doíam.

De modo que se dirigia ou regressava de uma festividade social... Regressava, lógico... uma vez que os sapatos novos lhe machucavam de tanto permanecer de pé... E que tipo de chapéu? Porque isso ajudaria... florido... um casamento no verão... ou de veludo, para inverno?

Tuppence atarefava-se em anotar pormenores dos horários ferroviários de diferentes linhas quando Albert entrou, perguntando se queria jantar... e se queria encomendar alguma coisa do açougue e da mercearia.

— Acho que vou passar uns dias fora — anunciou Tuppence. — Portanto não precisa comprar nada. Pretendo fazer umas viagens de trem.

— Não quer levar junto uns sanduíches?

— Pode ser. Peça um pouco de presunto ou qualquer coisa.

— De ovo com queijo também? Ou quem sabe a lata de patê que está na despensa há tanto tempo... seria bom comer de uma vez.

A recomendação parecia um tanto sinistra, porém Tuppence aceitou.

— Muito bem. Fica ótimo.

— Quer que lhe remeta a correspondência?

— Por enquanto ainda não sei para onde vou — respondeu.
— Ah, bom.
Uma das peculiaridades simpáticas de Albert era aceitar tudo com a maior naturalidade. Nunca necessitava que lhe explicassem nada.

Ele se retirou da sala, e Tuppence fixou-se em seu plano. Tinha de se lembrar de um acontecimento social que exigisse chapéu e sapatos de toalete. Infelizmente, os de sua lista envolviam linhas ferroviárias diferentes... Um casamento na rede meridional, o outro em East Anglia. E o batizado fora ao norte de Bedford.

Se conseguisse recapitular um pouco mais a paisagem... Viajara sentada do lado direito do trem. O que estivera olhando *antes* do canal?... Bosques? Árvores? Plantações agrícolas? Uma aldeia distante?

Puxando pela memória, com a testa franzida, ergueu os olhos... Albert tinha voltado. Naquele momento mal podia imaginar que a presença dele ali, à espera de sua atenção, significava nada mais, nada menos que uma oração atendida...

— Bem, Albert, o que é *agora*?
— Caso a senhora tenha a intenção de passar todo o dia fora amanhã...
— E provavelmente depois de amanhã, também...
— Se importaria se eu tirasse uma folga?
— Claro que não.
— É por causa de Elizabeth... está cheia de manchas no rosto. Milly acha que é sarampo...
— Oh, meu Deus. — Milly era a mulher de Albert, e Elizabeth, a filha caçula. — Então é lógico que ela quer que você fique em casa.

Albert morava numa casinha modesta a dois quarteirões de distância.

— Não é tanto por causa disso... Ela não gosta que eu atrapalhe quando está cheia de serviço... acha que só faço confusão... Mas são os outros garotos... Eu poderia sair com eles e deixá-la mais sossegada.

— Naturalmente. Imagino que estejam todos de quarentena.

— Olhe, até seria melhor que pegassem de uma vez e acabassem logo com o problema. Charlie já teve, e Jean também. Quer dizer, então, que não há inconveniente?

Tuppence garantiu-lhe que não.

Algo se agitava no fundo do subconsciente... Um alegre pressentimento... uma identificação... Sarampo... Sim, sarampo. Qualquer coisa relacionada com sarampo.

Mas que teria a casa do canal a ver com sarampo...?

Claro! Anthea. Anthea era a afilhada de Tuppence... e Jane, a filha dela, já ia ao colégio... no primeiro ano... e era festa de encerramento e Anthea lhe telefonara... As duas filhas menores estavam com sarampo, não dispunha de ninguém para ajudar em casa, e Jane ficaria tremendamente decepcionada se não aparecesse nenhum convidado... Será que Tuppence não podia?...

Tuppence evidentemente aceitou. Não tinha nada especial para fazer... iria ao colégio, sairia com Jane para almoçar, voltando depois a fim de assistir às competições esportivas e às demais festividades. Havia um trem especial para a escola.

Tudo lhe veio à lembrança com nitidez assombrosa... até o próprio vestido que usara... um estampado leve com centáureas azuis!

Enxergara a casa durante a volta.

Na viagem de ida ficara absorta na leitura de uma revista que havia comprado, mas no retorno não tinha nada para ler e ficou olhando pela janela até que, exausta das atividades do dia e dos sapatos apertados, pegou no sono.

Ao despertar, o trem corria à beira de um canal. A região era parcialmente arborizada, com alguma ponte de vez em quando, uma vereda tortuosa ou uma estrada menos importante... uma granja ao longe... nenhuma aldeia.

O trem começou a diminuir a marcha. Devia haver uma sinaleira à frente. Parou com um solavanco ao lado de uma pequena ponte em arco que cortava um canal que provavelmente não tinha nenhuma serventia. Na margem oposta, perto da água, havia uma casa... que logo pareceu a Tuppence uma das mais simpáticas que já vira... tranquila, imperturbável, iluminada pela luz dourada do crepúsculo.

Não se via nenhum ser humano nas imediações... nem cães ou outros animais domésticos. No entanto, as venezianas verdes não estavam fechadas. Era, sem dúvida, habitada, embora de momento parecesse deserta.

— Preciso verificar essa casa — refletiu Tuppence. — Um dia hei de voltar aqui e dar uma olhada. É o tipo de lugar em que eu gostaria de morar.

Com outro solavanco, o trem recomeçou a mover-se vagarosamente.

—Vou prestar atenção no nome da próxima parada... assim saberei onde fica.

Só que a parada nunca apareceu. Foi na época em que as ferrovias passaram a sofrer transformações... estações modestas fechadas, e até derrubadas, grama brotando nas plataformas em ruínas. O trem andou vinte minutos... meia hora... sem que se avistasse nada identificável. Num determinado momento, além dos campos, bem longe, Tuppence enxergou o alto de um campanário.

Depois surgiu um complexo industrial... grandes chaminés... uma fileira de casas pré-fabricadas. E de novo o campo aberto.

Tuppence pensou consigo mesma... Aquela casa era quase um sonho! Talvez fosse... Creio que nunca hei de voltar para vê-la melhor... é muito difícil. Pena. Aliás, quem sabe...

Um dia, talvez, eu a encontre por acaso!

E assim... esquecera por completo... até que um quadro pendurado na parede reavivara uma lembrança adormecida.

E agora, graças a uma palavra pronunciada inconscientemente por Albert, terminava a busca.

Ou, para ser mais exata, começava.

Tuppence separou três mapas, um guia de viagem e vários outros acessórios.

Já sabia mais ou menos a região que teria de investigar. Marcou o colégio de Jane com uma cruz grande... o ramal da rede ferroviária, que desembocava na linha principal de Londres... o lapso de tempo em que adormecera.

O âmbito visado abrangia um território considerável... ao norte de Medchester, a sudeste de Market Basing, que, embora fosse uma cidade pequena, constituía um importante entroncamento de linha férrea, e provavelmente a oeste de Shaleborough.

Levaria o carro, partindo de manhã cedo no dia seguinte.

Levantou-se, foi até o quarto e analisou o quadro em cima da lareira.

Sim, não havia dúvida. Aquela era a casa que tinha visto do trem há três anos. A casa que prometera visitar um dia...

Esse dia chegara... Seria amanhã.

Segunda parte

A casa do canal

7

A bruxa camarada

ANTES DE partir na manhã seguinte, Tuppence examinou cuidadosamente pela última vez o quadro pendurado no quarto, não tanto para gravar os detalhes na lembrança, mas para memorizar sua posição na paisagem. Desta vez não a enxergaria da janela de um trem, mas de uma estrada. O ângulo de visão seria bem diferente. Talvez houvesse várias pontes em arco, muitos canais sem serventia parecidos... e até outras casas semelhantes — mas nisso ela se recusava a acreditar.

A pintura estava assinada, porém o nome do artista era ilegível... Tudo o que se podia perceber é que começava com B.

Afastando-se do quadro, Tuppence passou em revista o que pretendia levar junto: um guia ABC com o respectivo mapa ferroviário, uma seleção de mapas topográficos, nomes prováveis de localidades... Medchester, Westleigh... Market Basing... Middlesham... Inchwell... Entre si, encerravam o triângulo que decidira examinar. Como bagagem, uma pequena valise de viagem, pois demoraria três horas até chegar à região escolhida e depois, segundo seus cálculos, teria de percorrer devagar um vasto complexo de estradas e sendas rurais à procura de prováveis canais.

Parando em Medchester para fazer um lanche, tomou um caminho secundário, adjacente à linha férrea, e que passava por campos arborizados cortados por arroios.

Como na maioria dos distritos rurais ingleses, havia uma profusão de placas indicadoras, com nomes que Tuppence jamais ouvira e que raramente conduziam ao lugar em questão. Parecia realmente existir certa astúcia nessa parte do sistema rodoviário inglês. A estrada se afastava do canal, e quando o carro zarpava na esperança de encontrá-lo de novo, não achava nem rastro. Se tomasse a direção de Great Michelden, o próximo indicador que vinha pela frente oferecia uma escolha de duas estradas, uma para Pennington Sparrow e outra para Farlingford. Optando pela última, de fato chegava-se ao destino, mas logo em seguida uma nova placa fazia retroceder firmemente a Medchester, de maneira que quase se voltava ao ponto de partida. Na verdade Tuppence nunca conseguiu encontrar Great Michelden e durante muito tempo foi incapaz de retomar o canal perdido. Teria sido bem mais fácil se ao menos tivesse alguma ideia da aldeia que estava procurando. Localizar canais em mapas resultava simplesmente em um enigma. De vez em quando deparava com a estrada de ferro e se animava, arremetendo com otimismo na direção de Bees Hill, South Winterton e Farrell St. Edmund, que outrora possuíra uma estação, cancelada já há algum tempo! "Se ao menos", pensou, "houvesse uma estrada bem-comportada ao longo de um canal ou dos trilhos do trem, tudo se tornaria mais fácil!"

O dia foi passando e Tuppence sentia-se cada vez mais frustrada. Ocasionalmente encontrava uma granja contígua a um canal, porém a estrada daí por diante insistia em se dissociar por completo do curso da água, subindo uma colina e chegando numa coisa chamada Westpenfold, onde existia uma igreja de torre quadrada que de nada adiantava.

A essa altura, quando prosseguia desolada por um caminho sulcado que parecia a única saída de Westpenfold e que para seu senso de direção (no qual não mais confiava) se afigurava o lado oposto de qualquer rumo que pretendesse tomar, repentinamente desembocou num lugar onde duas veredas se bifurcavam à direita e à esquerda. Havia os destroços de uma placa de trânsito entre as duas, com ambos os suportes quebrados.

— E agora? — disse Tuppence. — O que faço?

Optou pela esquerda.

O caminho serpenteava sem parar. Finalmente, após uma curva, se alargava e subia um morro, saindo do meio das árvores numa clareira em declive. Tendo atingido o topo, descia uma ladeira íngreme. Não muito distante, ouviu-se um uivo queixoso...

"Parece um *trem*", pensou Tuppence, com súbita esperança.

E era... Logo abaixo avistou a linha férrea, por cujos trilhos corria um expresso de víveres apitando aflito à medida que avançava resfolegante. E do outro lado estava o canal, em cuja margem oposta Tuppence reconheceu a casa, perto da ponte em arco de tijolos cor-de-rosa. A estrada mergulhava por baixo da ferrovia, subia de novo e passava por cima da ponte. Tuppence cruzou-a lentamente. Do outro lado, seguia adiante, tendo a casa à direita. Procurou uma entrada, mas parecia não haver nenhuma. Um muro relativamente alto a protegia.

Parou o carro e caminhou de volta até a ponte, tentando obter uma visão melhor da casa.

Quase todas as grandes janelas estavam fechadas por venezianas verdes. Possuía um aspecto muito tranquilo e deserto. À luz do pôr do sol, reinava uma calma acolhedora. Nada indicava que fosse habitada. Entrou novamente no carro e avançou mais um pouco. O muro, de altura moderada, ficava à sua direita. Do lado esquerdo, apenas uma sebe separava a estrada dos campos verdes.

Finalmente descobriu um portão de ferro batido. Estacionou o carro à beira do caminho, desceu e aproximou-se para dar uma espiada no interior das grades. Só conseguiu ficando na ponta dos pés. Lá dentro havia um jardim. Sem dúvida, o local não era uma granja, embora pudesse ter sido antigamente. Era provável que desse para um prado nos fundos. O jardim era bem cuidado. Não que estivesse especialmente cultivado, porém dava a impressão de que alguém se esforçava, com parcos resultados, para mantê-lo em ordem.

Uma senda circular partia do portão de ferro, contornando os canteiros, até a entrada, que devia ser por ali, embora não desse essa impressão. A porta, evidentemente grossa, não chamava a atenção — uma porta traseira. Visto desse lado, o aspecto era muito diferente. Para começar, a casa não estava desabitada. Havia moradores. As janelas estavam abertas, com cortinas esvoaçantes, uma lata de lixo encostada na soleira. No fundo do jardim, Tuppence avistou um homem corpulento cavando a terra. Era alto, idoso e trabalhava devagar e com persistência. Não havia dúvida de que desse ângulo a casa não oferecia nenhum atrativo e seria pouco provável que um pintor a tomasse como tema de um quadro. Não passava de uma moradia como outra qualquer. Tuppence ficou pensando. Hesitou. Quem sabe não era melhor ir embora e desistir por completo? Ora, que ideia mais absurda depois de tanto incômodo. Que horas eram? Consultou o relógio, mas estava parado. Ouviu o rangido de uma porta lá dentro. Espiou de novo pela grade.

A porta da casa se abriu, e uma mulher apareceu. Largou no chão uma garrafa de leite e depois, endireitando o corpo, olhou para o portão. Enxergou Tuppence, vacilou por um instante e, por fim, tomando uma decisão, veio descendo a senda. "Ora", disse Tuppence consigo mesma, "mas é uma bruxa camarada!".

Teria uns cinquenta anos, mais ou menos. O cabelo, comprido e desgrenhado, ondulava ao vento. Lembrava vagamente um quadro (de Nevinson?) de uma bruxa jovem num cabo de vassoura. Talvez por isso lhe ocorrera a comparação. Mas não havia nada de juventude ou beleza nessa mulher. Era uma velha de rosto enrugado e vestida de modo um tanto relaxado. Usava uma espécie de chapéu pontiagudo, e o nariz e o queixo convergiam. Como descrição, talvez parecesse sinistra, mas não era essa a impressão que causava. Irradiava uma boa vontade ilimitada. "Sim", pensou Tuppence, "é exatamente *que nem* uma bruxa, porém uma bruxa *camarada*. Vai ver pratica magia 'branca'".

A mulher se aproximou do portão com um jeito hesitante e começou a falar numa voz agradável que traía um leve sotaque rural.

— Deseja alguma coisa? — perguntou.

— Desculpe — disse Tuppence —, deve julgar uma falta de educação minha ficar espiando seu jardim desse modo, mas... eu estava admirando a casa.

— Não quer entrar para ver melhor? — convidou a bruxa camarada.

— Ora... bem... obrigada, mas não quero atrapalhar.

— Oh, não atrapalha em nada. Estou sem nada para fazer. Que linda tarde, não?

— É, de fato — concordou Tuppence.

— Pensei que talvez estivesse perdida — disse a bruxa camarada. — Isso às vezes acontece.

— Apenas achei a casa muito simpática quando vinha descendo a ladeira do outro lado da ponte.

— Daquele lado é mais bonita. De vez em quando aparecem pintores e ficam copiando... ou pelo menos apareciam... antigamente.

— Sim — retrucou Tuppence —, imagino. Creio que... vi um quadro em alguma exposição — acrescentou logo. — Uma casa igualzinha. Talvez até fosse a mesma.

— Ah, é bem capaz. Engraçado, sabe, os pintores vêm e pintam um quadro. E depois parece que outros também vêm atrás. É que nem todos os anos quando organizam a exposição aqui na aldeia. Parece que cada artista escolhe sempre o mesmo lugar. Não sei por quê. Sabe como é, um trecho do campo com um riacho, ou determinado carvalho, ou um grupo de salgueiros, ou a eterna paisagem da igreja normanda. Cinco ou seis quadros da mesma coisa, a maioria bem ruim, na minha opinião. Só que, afinal, eu não entendo nada do assunto. Entre, por favor.

— É muito amável — agradeceu Tuppence. — Tem um jardim bonito.

— Ah, não é dos piores. Dá algumas flores, verduras etc. Mas meu marido não pode trabalhar muito ultimamente, e eu não tenho tempo entre uma coisa e outra.

— Vi esta casa uma vez do trem — explicou Tuppence. — Ele diminuiu a marcha, eu a enxerguei e fiquei pensando se algum dia chegaria a revê-la. Já faz bastante tempo.

— E agora, de repente, desce o morro de carro e cá está ela — disse a mulher. — Curioso como as coisas acontecem, não é mesmo?

"Graças a Deus", pensou Tuppence, "esta mulher facilita imensamente a conversa. A gente mal precisa pensar numa justificativa. Pode-se quase dizer a primeira coisa que vem à cabeça".

— Quer visitar a casa? — perguntou a bruxa camarada. — Estou vendo que lhe interessa. É bem velha, sabe? Quero dizer, do fim da era georgiana ou troço parecido. Parece que depois foi aumentada. Nós, naturalmente, ocupamos apenas a metade.

— Ah, bom. É dividida ao meio, então?

— Aqui, de fato, são os fundos. A frente fica do lado que se enxerga da ponte. No meu entender é uma repartição esquisita. Suponho que seria mais simples fazê-la de outro jeito. Sabe como é, direita e esquerda, por assim dizer. Não frente e fundos. Isto tudo aqui realmente é a parte de trás.

— Faz tempo que se mudaram para cá? — perguntou Tuppence.

— Três anos. Depois que meu marido se aposentou, queríamos um cantinho sossegado no campo. E barato, lógico. O preço deste era acessível por ser, naturalmente, muito isolado. Não há nenhuma aldeia nem nada nos arredores.

— Vi um campanário ao longe.

— Ah, é Sutton Chancellor. Dista quatro quilômetros daqui. Pertencemos à paróquia, claro, mas não há outra casa antes de chegar lá. Também é uma aldeiazinha de nada. Aceita uma xícara de chá? — perguntou. — Não fazia dois minutos que tinha botado a chaleira no fogo quando a avistei no portão. — Ergueu as mãos à boca e chamou: — Amos! Amos!

O homem alto no fundo do jardim virou a cabeça.

— Chá daqui a dez minutos! — gritou.

Ele, em resposta, acenou. A bruxa camarada abriu então a porta e convidou Tuppence a entrar.

— Meu nome é Perry — disse numa voz cordial. — Alice Perry.

— O meu é Beresford — retribuiu Tuppence. — Sra. Beresford.

— Passe, sra. Beresford, a casa é sua.

Tuppence hesitou um segundo. "Até me sinto um pouco como João e Maria. A bruxa pede para a gente entrar na casa. Talvez seja feita de pão de ló... Pelo menos devia ser."

Depois olhou de novo para Alice Perry e achou que não era a bruxa da casa de pão de ló de João e Maria. Tratava-se de uma mulher perfeitamente comum. Não, comum, não. Irradiava um estranho ar de veemente cordialidade. "Garanto que é capaz de feitiços", pensou Tuppence, "mas tenho certeza de que só para fazer o bem". Inclinou um pouco a cabeça e cruzou o limiar da residência da bruxa.

O interior estava bastante escuro. Os corredores eram estreitos. A sra. Perry conduziu-a através da cozinha até uma sala de visitas espaçosa, dividida ao meio por um arco. A moradia não apresentava nenhum traço especial. Tuppence deduziu que constituía uma ampliação da parte principal, construída no fim da era vitoriana. No sentido horizontal, era exígua. Parecia consistir num corredor plano, um tanto escuro, que ligava uma fileira de peças. Pensou que de fato era um modo um pouco esquisito de dividir uma casa.

— Sente-se. Vou buscar o chá — disse a sra. Perry.

— Deixe que eu ajudo.

— Oh, não se preocupe, é coisa rápida. Está tudo pronto na bandeja.

Ouviu-se um assobio na cozinha. A chaleira atingira evidentemente o fim de seu período de repouso. A sra. Perry saiu e voltou dois minutos depois com a bandeja de chá, um prato de bolinhos, um pote de geleia e três xícaras com pires.

— Decerto ficou decepcionada com o interior da casa — disse.

Era uma observação perspicaz e bem próxima da verdade.

— Oh, não — protestou Tuppence.

— Pois no seu caso eu ficaria. Não há que negar que uma coisa não combina com a outra. Quero dizer, a frente e os fundos. Mas para morar é confortável. Não há muitas peças, não é muito iluminada, porém é baratíssima.

— Quem pensou em dividir a casa?

— Ah, foi há muitos anos. No mínimo o dono achou que era grande ou inconveniente demais. Queria apenas um lugar para passar fins de semana ou coisa que o valha. Portanto, ficaram com os melhores cômodos, o refeitório e a sala de visitas, transformando um pequeno gabinete em cozinha e mais uns dois quartos e banheiro no andar de cima, e depois levantaram uma parede, alugando a parte que antes era a cozinha, a copa antiquada e coisas assim. E reformaram um pouco.

— Quem mora na frente? Alguém que só vem nos fins de semana?

— De momento não há inquilinos — explicou a sra. Perry. — Pegue outro pãozinho, meu bem.

— Obrigada.

— Pelo menos faz dois anos que ninguém aparece. Nem sei mesmo quem é o atual proprietário.

— Mas quando vieram de muda para cá?

— Havia uma moça que costumava vir... consta que era atriz. Pelo menos corria o rumor. Nunca a vimos bem de fato. Apenas de relance, uma ou outra vez. Aparecia sempre sábados à noite, depois do espetáculo, presumo. E ia embora no fim do domingo.

— Um verdadeiro mistério, hein? — comentou Tuppence, incentivando.

— Sabe, era justamente assim que eu a imaginava. Vivia inventando histórias a respeito dela. Às vezes pensava que era uma espécie de Greta Garbo. Também, pudera, do jeito que ela andava sempre de óculos escuros e chapéus puxados para baixo. Credo, não é que agora fui *eu* que me esqueci de tirar o *meu*?

Tirou o chapéu de bruxa e deu uma risada.

— É para uma peça que vamos montar no salão paroquial em Sutton Chancellor. Sabe como é... uma espécie de conto de fadas quase só para crianças. Eu faço a bruxa.

— Oh — exclamou Tuppence, colhida um pouco de surpresa, acrescentando logo: — Que divertido.

— Não é mesmo? Sirvo direitinho para o papel de bruxa, não é? — Bateu no queixo com uma gargalhada. — Veja. Até a

cara. Só espero que não fiquem com ideias estranhas a meu respeito. São capazes de pensar que tenho mau-olhado.
— Acho que não vão pensar, não — disse Tuppence. — Estou certa de que é uma bruxa benfazeja.
— Ainda bem que causo essa impressão. Como eu ia dizendo, essa atriz... de momento não me lembro do nome dela... Srta. Marchment, parece que era, mas talvez fosse outro... nem imagina as coisas que eu fantasiava a respeito dela. Francamente, tenho quase certeza de que mal vi ou falei com ela. Às vezes eu acho que era apenas incrivelmente tímida e neurótica. Sempre vinham jornalistas à procura de uma entrevista ou que o valha, mas nunca os recebia. Noutras ocasiões, me ocorriam... olhe, vai me achar idiota... umas ideias bem sinistras. Que tinha medo de ser *reconhecida*, por exemplo. Talvez nem fosse atriz. Talvez a polícia andasse atrás dela. Talvez fosse uma espécie de criminosa. Às vezes é emocionante inventar coisas. Principalmente quando a gente não vê... bem... quase ninguém.
— Nunca apareciam outras pessoas com ela?
— Para falar a verdade, não tenho certeza. Claro que essas paredes divisórias, sabe, colocadas quando repartiram a casa ao meio, bem, são muito finas, e às vezes ouviam-se vozes e coisas assim. Creio que ela trazia ocasionalmente alguém para passar o fim de semana. — Aquiesceu com a cabeça. — Um homem qualquer. Podia ser esse o motivo de preferirem um lugar tranquilo que nem este.
— Um homem casado — sugeriu Tuppence, aderindo ao espírito de fantasia.
— É, devia ser, não é mesmo? — retrucou a sra. Perry.
— Talvez fosse o próprio marido. Escolheu este lugar no campo porque queria assassiná-la. Quem sabe enterrou-a no jardim?
— Nossa! — exclamou a sra. Perry. — Que imaginação a senhora tem! Essa nunca tinha me passado pela cabeça.
— Ah, mas *alguém* devia estar informado de tudo sobre ela. Uma imobiliária, por exemplo.

— Sim, é possível. Entretanto, prefiro *não* saber. Se é que me entende.

— Claro — concordou Tuppence. — Entendo perfeitamente.

— Sabe, esta casa possui uma atmosfera toda especial. A gente tem a sensação de que podia ter acontecido qualquer coisa nela.

— Não vinha alguém fazer faxina ou algo semelhante?

— Aqui é difícil conseguir empregada. Não mora ninguém na vizinhança.

A porta se abriu, dando entrada ao homenzarrão que estivera cavoucando no jardim. Dirigiu-se à pia da copa, evidentemente para lavar as mãos, e depois veio até a sala.

— Meu marido — apresentou a sra. Perry. — Amos, temos uma visita. Esta é a sra. Beresford.

— Como vai? — cumprimentou Tuppence.

Amos Perry era um sujeito alto e desajeitado. Bem maior e mais forte do que Tuppence supusera. Embora andasse de maneira trôpega e lenta, demonstrava ser dono de impressionante musculatura.

— Prazer em conhecer, sra. Beresford — respondeu.

Tinha voz simpática e sorria. Por um breve instante, porém, Tuppence ficou com a impressão de que não poderia afirmar, com absoluta certeza, que "regulasse bem". Havia uma espécie de ingenuidade atônita em seu olhar. Será que a sra. Perry decidira morar num lugar afastado por causa de alguma deficiência mental do marido?

— Amos gosta imensamente de trabalhar no jardim — explicou a esposa.

Com a chegada dele, o assunto esfriou. A sra. Perry continuou conversando, mas sua personalidade parecia ter mudado. Falava com um pouco de nervosismo e dando atenção especial ao marido. Incentivando-o, achou Tuppence, à semelhança de uma mãe que forçasse um filho tímido a participar da conversa para brilhar na frente da visita e receasse que se mostrasse insuficiente. Tuppence terminou o chá e levantou-se.

— Preciso ir — disse. — Muito obrigada pela hospitalidade, sra. Perry.

—Venha olhar o jardim antes — sugeriu o sr. Perry, pondo-se de pé. —Venha, vou mostrar.

Saiu na companhia dele. Levou-a ao recanto onde estivera cavando a terra.

— Bonitas flores, não? — perguntou. — Tem rosas aqui que ninguém planta mais... Esta aqui, com listras vermelhas e brancas.

— Comandante Beaurepaire — classificou Tuppence.

— A gente dessas bandas chama de "York e Lancaster" — explicou Perry. — A Guerra das Rosas. Que perfume bom, não é?

— Maravilhoso.

— Melhor que o dessas rosas-chá que andam por aí.

De certo modo, o jardim chegava a ser comovente. As ervas daninhas invadiam os canteiros, mas as flores em si estavam cuidadosamente arrumadas, de maneira amadora.

— Cores vivas — continuou o sr. Perry. — Eu gosto de cores vivas. Às vezes vem gente para ver nosso jardim. Fiquei contente com sua visita.

— Muito obrigada — disse Tuppence. — Acho o jardim e a casa de fato lindos.

— Devia ver a parte da frente.

— Está para alugar ou à venda? Sua esposa disse que não tem inquilinos atualmente.

— A gente não sabe. Nunca vemos ninguém, não botaram placa de anúncio, e não aparecem pretendentes.

— Creio que seria uma ótima moradia.

— Está procurando casa?

— Estou — respondeu Tuppence, numa decisão espontânea. — Sim, para ser franca, andamos atrás de um lugarzinho no interior, para quando meu marido se aposentar. Será no próximo ano, provavelmente, mas preferimos procurar com bastante antecedência.

— Para quem gosta de sossego, é ideal.

— Talvez eu pudesse me informar nas imobiliárias locais. Foi assim que conseguiram esta?

— Primeiro vimos o anúncio no jornal. Depois é que fomos falar na imobiliária.

— Onde era... em Sutton Chancellor? É a aldeia mais próxima, não é?

— Sutton Chancellor? Não. O escritório fica em Market Basing. Chama-se Russell & Thompson. Pode ir lá se informar.

— Sim, boa ideia — disse Tuppence. — Qual é a distância daqui até Market Basing?

— Três quilômetros até Sutton Chancellor e de lá até Market Basing são mais dez. Entre as duas tem uma estrada boa, mas daqui até Sutton Chancellor é tudo ruim.

— Compreendo — retrucou Tuppence. — Bem, adeus, sr. Perry, e muito obrigada por ter mostrado o jardim.

— Espere aí.

Abaixou-se, colheu uma imensa peônia e, segurando Tuppence pela lapela do casaco, enfiou-a na botoeira.

— Pronto. Agora, sim. Ficou bonito.

Por um momento, Tuppence sentiu um pânico repentino. Aquele homenzarrão desajeitado e bem-intencionado de repente causou-lhe medo. Olhava-a sorridente, para baixo, de uma maneira meio louca, quase lasciva.

— Ficou bonito — repetiu. — Bonito.

"Ainda bem que não sou moça...", refletiu Tuppence. "Se fosse, acho que não gostaria dele pondo uma flor em mim."

Despediu-se de novo e afastou-se às pressas.

Abriu a porta da casa e entrou para dizer adeus à sra. Perry. Estava na cozinha, lavando as coisas do chá, e Tuppence, num reflexo maquinal, tirou um pano da prateleira e começou a enxugar a louça.

— Agradeço muito à senhora e a seu marido — disse. — Foram tão gentis e hospitaleiros comigo... *O que foi isso?*

Da parede da cozinha, ou melhor, de trás da parede, no lugar onde outrora ficava um fogão antigo, veio um grito agudo, seguido de um grasnido e de um barulho de arranhões, também.

— Deve ser uma gralha — informou à sra. Perry —, que caiu pela chaminé da casa da frente. Sempre acontece nesta época do ano. Na semana passada caiu uma na nossa. Elas fazem ninhos nas chaminés, sabe?
— O quê?... Na outra casa?
— É, sim, ouça só.
Escutaram novamente os guinchos e os gemidos de um pássaro aflito.
— Lá não tem ninguém para acudir — disse a sra. Perry. — As chaminés precisavam ser limpas e tudo o mais.
O barulho das garras debatendo-se nos muros continuava.
— Pobre bicho — comentou Tuppence.
— Eu sei. Não poderá erguer-se de novo.
— Quer dizer que vai simplesmente morrer ali dentro?
— Ah, é. A que desceu pela nossa, como eu disse, duas, aliás, uma era filhote, não se machucou. Soltamos e saiu voando. A outra estava morta.
A luta frenética e os guinchos prosseguiram.
— Oh — exclamou Tuppence —, quem dera que se pudesse fazer alguma coisa.
O sr. Perry apareceu na porta.
— O que aconteceu? — perguntou, olhando para as duas mulheres.
— É uma gralha, Amos. Deve estar na chaminé da sala de visitas do vizinho. Ouviu?
— É, caiu do ninho lá em cima.
— Será que não dá para fazer nada? — perguntou a sra. Perry.
— Não dá, não. Iam morrer só com o susto.
— Mas e depois, o fedor? — retrucou.
— Não chega aqui. Vocês têm o coração mole — acrescentou, olhando para ambas —, como todas as mulheres. Se quiserem, posso ir ver.
— Como? Há alguma janela aberta?
— A gente passa pela porta.
— Qual?

— Uma que existe aí no pátio. A chave está pendurada lá fora.

Saiu e encaminhou-se a uma porta pequena num canto da parede. Abriu-a. Comunicava com uma espécie de estufa, por onde havia acesso à outra parte da casa. Pendurado num prego, havia um molho de seis ou sete chaves enferrujadas.

— Esta serve — disse o sr. Perry.

Apanhou uma e enfiou na fechadura. À custa de muito esforço e persuasão, girou com um rangido.

— Já entrei antes — explicou —, quando escutei água correndo. Alguém tinha se esquecido de fechar bem a torneira.

As duas mulheres foram atrás dele. A porta conduzia a um quartinho que ainda continha uma pia e vários vasos de flores numa prateleira.

— Aqui, no mínimo, costumavam arrumar as flores. Viram? Deixaram uma porção de vasos ainda.

A porta desse quartinho nem sequer estava trancada. Ele a abriu, e entraram. Tuppence teve a sensação de estar penetrando em outro mundo. Havia um tapete de pelo no chão do corredor. Pouco mais adiante via-se uma passagem entreaberta, de onde vinham os sons de asas esvoaçantes. Amos empurrou a porta, e a sra. Perry e Tuppence seguiram-no.

Apesar de as janelas estarem fechadas, um lado de veneziana pendia solto, deixando passar a claridade. Com toda a penumbra, distinguia-se um tapete desbotado, mas ainda bonito, de cor verde-garrafa. Uma estante de livros na parede. Não havia nenhuma mesa nem cadeiras. Sem dúvida, a mobília fora removida, ficando as cortinas e tapeçarias como acessórios a serem entregues ao próximo inquilino.

A sra. Perry aproximou-se da lareira. Um pássaro se debatia na grade, emitindo guinchos agudos de aflição. Abaixou-se, apanhou-o e disse:

—Veja se dá para abrir a janela, Amos.

Amos afastou a veneziana para um lado, desprendeu a outra metade e depois forçou o trinco da vidraça. Levantou o caixilho inferior com um ruído áspero. Mal conseguiu abrir, a sra. Perry curvou-se para fora e soltou a gralha. Caiu pesadamente na relva e ensaiou alguns passos.

— É melhor matar — sugeriu Perry. — Está ferida.

— Espere um pouco — retrucou a esposa. — Nunca se sabe. Os pássaros se recuperam muito depressa. É o medo que os deixa com esse ar de paralíticos.

Dito e feito. Momentos após, a gralha, num derradeiro esforço, um guincho e um bater de asas, erguia voo.

— Faço votos — disse Alice Perry — de que não caia outra vez pela chaminé. Esses bichos têm espírito de contradição. Não sabem o que lhes convém. Entram numa sala de onde nunca mais conseguem sair. Oh — exclamou —, que porcaria!

Ela, Tuppence e o sr. Perry olharam todos para a lareira. Desabara uma nuvem de fuligem, restos de entulho e tijolos quebrados. Obviamente estava em mau estado havia muito tempo.

— Alguém precisava vir morar aqui — comentou a sra. Perry, olhando ao redor.

— Ou cuidar da casa — concordou Tuppence. — Algum construtor devia examiná-la ou fazer qualquer coisa antes que venha tudo abaixo.

— Provavelmente passa água pelo telhado nos quartos lá em cima. Sim, olhem só o teto. Infiltrou-se por ali.

— Oh, que lástima — disse Tuppence —, arruinar uma casa tão bonita... é realmente uma sala linda, não?

Ela e a sra. Perry deram uma olhada em torno, com apreciação. Construída por volta de 1790, possuía toda a graciosidade de uma residência da época. Ainda se enxergavam as folhas de salgueiro que tinham decorado primitivamente o papel da parede.

— Agora está um escombro — declarou o sr. Perry.

Tuppence remexeu nos detritos da lareira.

— Seria melhor varrer — achou a sra. Perry.

— Ora, para que se incomodar com uma casa que não é sua? — retrucou o marido. — Deixe como está, mulher. Amanhã de manhã ficará tudo sujo de novo do mesmo jeito.

Tuppence empurrou os tijolos para um lado com o pé.

— Oh — exclamou, repugnada.

Havia dois pássaros mortos caídos no chão. Pelo aspecto, já tinham morrido há algum tempo.

— Foi o ninho que desmoronou faz uma porção de semanas. É de admirar que o fedor não seja maior — opinou Perry.

— Que coisa é essa? — perguntou Tuppence.

Tocou o sapato em algo meio escondido pelo entulho. Depois abaixou-se e pegou com a mão.

— Não toque num pássaro morto — preveniu a sra. Perry.

— Não é pássaro — respondeu Tuppence. — Caiu outra coisa pela chaminé. Ora, já se viu — acrescentou, de olhos arregalados. — É uma boneca. Uma boneca de criança.

Todos se aproximaram. Rasgada, em farrapos, com a roupa estraçalhada, a cabeça pendida dos ombros, era o que sobrava de uma boneca. Um olho de vidro saltou. Tuppence ficou com ela na mão.

— Eu só queria saber — disse — como é que foi parar dentro da chaminé. Que coisa extraordinária.

8

Sutton Chancellor

Saindo da casa do canal, Tuppence partiu de carro lentamente pela estreita senda sinuosa que lhe asseguraram que levava à aldeia de Sutton Chancellor. Era um caminho isolado. Não se viam casas de lado nenhum... apenas porteiras por onde seguiam trilhas lamacentas. Pouquíssimo tráfego... encontrou um trator e um caminhão anunciando com orgulho que transportava O Prazer de Mamãe, com o desenho de um pão descomunal e insólito. O campanário de igreja que avistara a distância parecia ter sumido como que por encanto. Finalmente reapareceu, bem perto, após uma curva repentina e fechada ao redor de um cinturão de árvores. Tuppence olhou de relance o velocímetro e verificou que andara três quilômetros desde a casa do canal.

Era um bonito templo antigo, erigido no centro de um cemitério bem grande, com um teixo solitário ao lado do pórtico de entrada.

Tuppence deixou o carro do lado de fora do portão alpendrado, cruzou o limiar e ficou alguns instantes imóvel, examinando a igreja e os arredores. Depois aproximou-se, passando pelo arco normando e erguendo a pesada maçaneta, que estava trancada.

O interior não apresentava nenhum atrativo. Era um templo antigo, incontestavelmente, porém sofrera uma reforma rigorosa na era vitoriana. Os bancos pretos de pinho e os berrantes vitrais vermelhos e azuis haviam arruinado todo o encanto arcaico que outrora possuíra. Uma mulher de meia-idade, vestida com um costume de tweed, arranjava flores nos vasos de metal em torno do púlpito. Já aprontara o altar. Virou-se com um vivo olhar de curiosidade para Tuppence, que perambulava pelo corredor a contemplar as tabuletas comemorativas nas paredes. Uma família de nome Warrender parecia figurar com enorme destaque nos primeiros anos. Todos do Priorado, Sutton Chancellor. Capitão Warrender, Major Warrender, Sarah Elisabeth Warrender, extremada esposa de George Warrender. Uma placa mais recente registrava o falecimento de Julia Starke (outra esposa extremada) de Philip Starke, também do Priorado, Sutton Chancellor... O que provavelmente indicava que os Warrender não tinham deixado descendentes. Nenhum oferecia sugestão ou interesse especial. Tuppence tornou a sair da igreja, percorrendo-a pelo lado externo. Achou a parte de fora muito mais bonita. "Gótico, perpendicular e decorado",* disse para si mesma, familiarizada com os termos da arquitetura eclesiástica. Não sentia o menor entusiasmo pelo começo do período perpendicular.

Era um templo relativamente grande, e imaginou que a aldeia de Sutton Chancellor devia ter sido outrora um centro de vida rural bem mais importante do que atualmente. Deixou o carro estacionado onde estava e dirigiu-se ao povoado. Havia uma loja, uma agência de correio e cerca de uma dúzia de pequenas casas ou chalés. Um ou outro possuía telhado de colmo, mas os demais eram simples e corriqueiros. No fim da rua enfileiravam-se seis moradias municipais, com um ar ligeiramente constrangido. Uma placa de metal numa das portas anunciava "Arthur Thomas, limpador de chaminés".

Tuppence teria curiosidade de saber se alguma imobiliária criteriosa contrataria os serviços dele para a casa do canal, que certamente estava precisando. "Como fora burra", pensou, "em não perguntar o nome da casa".

---

* O gótico inglês se divide em três períodos: Primitivo (1175 a 1250, aproximadamente), Decorado (1250-1340) e Perpendicular (ou Gótico Serôdio), a partir de 1340. (N. do T.)

Voltou devagar à igreja e ao carro, parando para examinar os arredores mais detidamente. Gostou do cemitério. Existiam pouquíssimos túmulos recentes. A maioria das lápides assinalava sepulturas vitorianas e outras ainda mais antigas... semidestruídas pela ação corrosiva do líquen e do tempo. As velhas pedras eram lindas. Algumas se resumiam em chapas verticais, encimadas por querubins e com coroas ao redor. Andou ao léu, lendo os dizeres. Os Warrender novamente. Mary Warrender, de 47 anos, Alice Warrender, de 33, o coronel John Warrender, morto no Afeganistão. Várias crianças pertencentes à família... saudades eternas... e versos eloquentes de otimismo religioso. Viveria ainda algum Warrender? Pelo visto, não eram mais enterrados ali. Os últimos túmulos datavam de 1843. Contornando o grande teixo, deparou com um velho sacerdote, curvado sobre uma fileira de lápides antigas perto de um muro atrás da igreja. Quando ela se aproximou, o ancião endireitou o corpo e virou-se.

— Boa tarde — cumprimentou, afável.

— Boa tarde — respondeu Tuppence, explicando: — Estive admirando a igreja.

— Arruinada pela restauração vitoriana — afirmou o pastor.

A voz era agradável, e o sorriso, simpático. Aparentava setenta anos, mas Tuppence presumiu que não devia ser tão velho assim, embora estivesse certamente reumático e um pouco trêmulo nas pernas.

— Dinheiro em demasia na época vitoriana — comentou, com tristeza. — Fabricantes de ferro em demasia. Eram devotos, mas infelizmente não possuíam o menor senso artístico. Nenhum bom gosto. Viu a ala leste? — perguntou, estremecendo.

—Vi — disse Tuppence. — Horrível.

—Tem toda a razão. Sou o ministro — acrescentou, embora fosse óbvio.

— Achei que fosse — disse Tuppence, cortês. — Faz muito tempo que oficia aqui?

— Dez anos, minha cara. É uma boa paróquia. As poucas pessoas que existem são simpáticas. Não gostam muito de meus sermões — explicou, pesaroso. — Faço o possível, mas é claro que não consigo fingir que seja realmente moderno. Sente-se — convidou, hospitaleiro, acenando para uma sepultura vizinha.

Tuppence aceitou, grata pela ideia, e o pastor fez o mesmo noutra ao lado.

— Não posso ficar muito tempo de pé — desculpou-se. — Desejava alguma coisa ou está apenas de passagem?

— Olhe, para ser franca, apenas de passagem — respondeu Tuppence. — Resolvi dar somente uma olhada na igreja. Me perdi um pouco andando de carro por essas estradas.

— Ah, é. Difícil à beça para a gente se orientar nesta região. Uma porção de placas estragou, sabe, e o município não trata de consertar. Em geral, quem passa de carro por aqui não pretende ir a nenhum lugar certo. Do contrário *não sairia* das rodovias principais. Horrível — acentuou de novo. — Especialmente a nova autopista. Pelo menos na *minha* opinião. O barulho, a velocidade e os motoristas imprudentes. Mas, ora! Não preste atenção ao que digo. Sou um velho ranzinza.

— Notei que estava examinando alguns túmulos — disse Tuppence. — Houve atos de vandalismo? Adolescentes quebrando pedaços?

— Não. Fica-se de fato pensando nisso hoje em dia, com tantas cabines telefônicas destruídas e todas essas outras coisas que esses vândalos cometem. Pobres crianças, suponho que não saibam o que fazem. São incapazes de encontrar melhor divertimento que destroçar tudo pela frente. Uma tristeza, não é mesmo? Realmente. Não — prosseguiu —, não houve danos dessa espécie por aqui. Os rapazes da localidade, de modo geral, são ajuizados. Não, estou apenas procurando a sepultura de uma criança.

Tuppence agitou-se no túmulo.

— De uma criança? — perguntou.

— Sim. Recebi uma carta de um tal major Waters, indagando se por acaso não tinha sido enterrada neste cemitério. Verifiquei no registro paroquial, lógico, mas não há ninguém com esse nome. Mesmo assim, vim até aqui dar uma olhada nas lápides.

Julguei, sabe, que talvez houvesse equívoco de nome ou então um puro e simples engano.

— Qual era o nome de batismo? — perguntou Tuppence.

— Não sabia. Talvez Julia, por causa da mãe.

— Que idade tinha?

— Também não sabia ao certo... Um tanto vaga, a história toda. Creio que o sujeito deve ter se enganado inclusive de aldeia. Não me lembro de nenhum Waters que jamais tenha morado aqui, nem sequer de referência.

— E o que me diz dos Warrender? A igreja parece repleta de placas deles, sem falar na maioria das sepulturas aqui fora.

— Ah, essa família já desapareceu por completo. Possuíam uma magnífica propriedade, um velho priorado do século XIV. Houve um incêndio... oh, há quase cem anos, de modo que imagino que os Warrender que sobreviveram foram embora e nunca mais voltaram. Um rico proprietário da era vitoriana, chamado Starke, construiu uma casa nova local. Feia, porém confortável, dizem. Muito confortável. Com banheiros, sabe, e tudo o mais. Presumo que essa espécie de coisa *seja* importante.

— Parece de fato estranho que alguém lhe escrevesse a fim de indagar sobre o túmulo de uma criança. Quem era?... Algum parente?

— O pai da menina — explicou o pastor. — Uma dessas tragédias da guerra, imagino. Um casamento que fracassou enquanto o marido estava servindo no exterior. A esposa jovem fugiu com outro homem durante a ausência do chefe da casa. Havia uma filha, que ele nem chegou a conhecer. Se ainda estivesse viva, hoje seria uma moça feita, acho. Deve fazer mais de vinte anos.

— Não lhe parece que ele esperou tempo demais para procurá-la?

— Pelo visto só soube da sua existência recentemente. Teve a informação por mera casualidade. A história toda é muito curiosa.

— Por que ele pensa que está enterrada aqui?

— Eu entendi que alguém, que encontrou a esposa na época da guerra, lhe contou que ela morava em Sutton Chancelor.

Essas coisas acontecem, sabe? A gente depara com um amigo ou conhecido que não vê há séculos e às vezes recebe notícias que nunca ficaria sabendo de outra forma. O que é certo, porém, é que ela não mora mais na localidade. Jamais houve uma pessoa com esse nome por aqui... pelo menos desde que vim para cá. E, ao que eu saiba, tampouco nas redondezas. Claro que a mãe *podia* ter adotado outra identidade. Em todo caso, parece que o pai recorreu a procuradores, agentes de sindicância e coisas assim, que provavelmente conseguirão algum resultado no fim. Levará tempo...

— *A coitadinha era sua filha?* — murmurou Tuppence.

— Como disse, minha cara?

— Nada — respondeu. — Algo que uma pessoa me falou outro dia. *A coitadinha era sua filha?* É assombroso ouvir uma pergunta dessas de repente. Mas eu francamente não acho que a velhinha que disse isso soubesse o que estava dizendo.

— Sei. Sei. Comigo sucede o mesmo. Digo coisas realmente sem nexo. Um vexame.

— Imagino que saiba tudo a respeito das pessoas que moram *atualmente* aqui.

— Bem, certamente não são muitas. Sei, sim. Por quê? Queria alguma informação?

— Gostaria de saber se uma tal de sra. Lancaster nunca morou em Sutton Chancellor.

— Lancaster? Não, não me lembro desse nome.

— E havia uma casa... eu hoje estava andando de carro a esmo... sem me preocupar muito aonde ia parar, só seguindo por estradas...

— Sei. As desta região são agradáveis. E a gente encontra espécimes raros. Botânicos, quero dizer. Aí pelas cercas. Ninguém colhe as flores. Nunca aparece um turista ou coisa parecida. Sim, já achei algumas mostras bem raras, às vezes. Certos tipos de campânulas, por exemplo...

— Havia uma casa à beira de um canal — continuou Tuppence, recusando-se a mudar de assunto. — Perto de uma pontezinha em arco. A uns três quilômetros daqui. Gostaria de saber como se chama.

— Deixe eu ver. Canal... Ponte em arco. Bem... há várias desse tipo. A Granja Merricot.

— Não era granja.

— Ah, espere, deve ser a dos Perry... Amos e Alice Perry.

— Isso mesmo — disse Tuppence. — O sr. e a sra. Perry.

— Mulher interessante, não acha? Sempre me pareceu. Tem uma cara inesquecível. Medieval, pode-se dizer. Vai fazer o papel da bruxa na peça que estamos ensaiando. O colégio primário, sabe? Ela lembra mesmo uma bruxa, não é?

— Sim — concordou Tuppence. — Uma bruxa camarada.

— Acertou em cheio, minha cara. De fato, uma bruxa camarada.

— Mas ele...

— Sim, coitado — disse o ministro. — Não é de todo *compos mentis*... porém inofensivo.

— São muito simpáticos. Me convidaram para tomar chá. No entanto, o que eu queria saber era o *nome* da casa. Eu me esqueci de lhes perguntar. Eles ocupam apenas a metade, não?

— Sim, realmente. A que costumava pertencer à antiga cozinha. Chamam-na de "Waterside", acho, embora creia que antes fosse "Watermead". Era mais bonito, na minha opinião.

— A quem pertence a outra parte?

— Bem, a casa toda era propriedade dos Bradley. Mas isso foi há muito tempo. Sim, eu diria uns trinta ou quarenta anos, no mínimo. Depois venderam, uma, duas vezes, e aí permaneceu desocupada durante um período enorme. Quando cheguei aqui estava sendo usada somente como uma espécie de lugar para passar o fim de semana. Por uma atriz... a srta. Margrave, parece. Não era vista com muita frequência por lá. Costumava vir apenas de vez em quando. Nunca a conheci. Jamais apareceu na igreja. Houve ocasiões em que a vi de longe. Bonita mulher. Realmente linda.

— Quem é o dono *atual*? — insistiu Tuppence.

— Não tenho ideia. É provável que ainda seja ela. O lado em que os Perry moram é só alugado.

— Eu reconheci a casa logo, sabe? Havia um quadro em que ela aparecia.

—Ah, é? Decerto foi pintado por Boscombe. Ou será que era Boscobel? Não me lembro direito do nome dele. Algo semelhante. Nascido na Cornualha, pintor bem famoso, creio eu. Calculo que hoje esteja morto. Sim, costumava vir bastante seguido por aqui. Desenhava tudo que encontrava na região. Pintava a óleo, também. Paisagens realmente bonitas.

— Esse quadro que eu tenho — explicou Tuppence — foi dado de presente a uma velha tia minha, que faleceu há cerca de um mês, por uma tal de sra. Lancaster. Por isso perguntei se o senhor a conhecia.

O ministro, porém, tornou a sacudir a cabeça.

— Lancaster? Lancaster. Não, não consigo lembrar. Ah! Mas tem alguém que deve saber. Nossa querida srta. Bligh. Vive correndo de um lado para outro, conhece a paróquia de ponta a ponta. Dirige tudo. O Instituto Feminino, os escoteiros, os guias... tudo, enfim. Pergunte a ela. É muito ativa, muito diligente mesmo.

Suspirou. A atividade da srta. Bligh parecia inquietá-lo.

— Na aldeia, todos a chamam de Nellie Bligh. Os garotos, às vezes, saem cantando atrás: *Nellie Bligh. Nellie Bligh.*[*] Mas não é o nome dela. Deve ser algo como Gertrude ou Geraldine.

A srta. Bligh, que era a mulher trajada de tweed que Tuppence tinha visto na igreja, aproximava-se deles num passo rápido, ainda carregando um pequeno regador. Olhou a forasteira com grande curiosidade, apressando-se mais e começando a conversa antes de chegar perto.

— Ufa, terminei o trabalho — anunciou, risonha. — Hoje foi um pouco na correria. Ah, como me afobei. Claro, o senhor sabe, ministro, geralmente apronto a igreja pela manhã. Mas hoje tivemos uma reunião de emergência no salão paroquial e nem

---

[*] Personagem da velha canção *Frankie & Johnny*. (N. do T.)

é capaz de imaginar o tempo que demorou! *Tanta* discussão! Só vendo. Às vezes, realmente acho que as pessoas fazem objeções apenas para se divertirem. A sra. Partington estava especialmente irritante. Queria esmiuçar cada questão, sabe como é, e apurar se a gente havia aberto concorrência entre diversas firmas. Ora, afinal de contas, a história toda vai custar tão pouco que uma diferença de alguns xelins aqui ou ali quase não altera nada. E a Burkenheads sempre foi de inteira confiança. Olhe, ministro, eu acho que o senhor não devia se sentar de jeito nenhum nesse túmulo.

— Por respeito, talvez? — sugeriu ele.

— Oh, não, não, claro que não me referia a isso, *de modo algum*, ministro. Mas é a *pedra,* sabe, a umidade que transmite, e com seu reumatismo...

Olhou de esguelha para Tuppence, com uma expressão interrogativa.

— Deixe-me apresentar-lhe a srta. Bligh — disse o clérigo. — Esta é... Esta é... — Hesitou.

— Sra. Beresford — esclareceu Tuppence.

— Ah, sim — respondeu a srta. Bligh. — Eu a vi há pouco na igreja, não foi, enquanto dava uma olhada? Se não estivesse tão apressada para terminar o trabalho, teria puxado conversa, chamando sua atenção para alguns detalhes interessantes.

— Eu é que devia ter me oferecido para ajudá-la — protestou Tuppence, no seu tom mais simpático. — Mas não ia adiantar grande coisa, não é mesmo? Logo vi que sabia o lugar exato de cada flor.

— Olhe, é muita bondade sua dizer isso, porém de fato tem razão. Arrumo as flores na igreja há... oh, nem sei há *quantos* anos já! Nós deixamos as crianças da escola enfeitarem as festas com seus próprios vasos de flores silvestres, embora naturalmente as pobrezinhas não tenham a mínima ideia. Eu acho que com *um pouco* de orientação... mas a sra. Peak nem quer ouvir falar. É tão escrupulosa. Diz que prejudica o espírito de iniciativa. Está hospedada por aqui? — perguntou.

— Eu pretendia ir a Market Basing — respondeu Tuppence. — Talvez pudesse me indicar um bom hotel sossegado lá?

— Bem, creio que se decepcionará um pouco. É apenas um pequeno centro de comércio, sabe? Não estimula a curiosidade dos automobilistas. O Dragão Azul pertence à categoria de duas estrelas, embora às vezes eu realmente não julgue que esse sistema de classificação signifique *coisa alguma*. Acho que há de preferir O Cordeiro. Mais tranquilo, compreende? Pretende demorar-se muito?

— Oh, não — disse Tuppence —, somente um dia ou dois, enquanto dou uma olhada pelos arredores.

— Não há muita coisa para ver, tenho a impressão. Nenhuma antiguidade interessante ou algo do gênero. Constituímos um distrito puramente rural e agrícola — explicou o ministro. — Mas calmo, sabe, muito calmo. Como lhe disse, por aqui há flores silvestres bastante raras.

— Ah, é — concordou Tuppence. — Ouvi falar e estou ansiosa para colher certos exemplares enquanto procuro uma casa para morar — acrescentou.

— Oh, mas que interessante — exclamou a srta. Bligh. — Tenciona morar por aqui?

— Bem, meu marido e eu não nos decidimos precisamente por nenhuma região especial. Não temos pressa. Ele só vai se aposentar dentro de um ano e meio. Mas acho sempre bom já ir procurando. Pessoalmente, o que *eu* gosto de fazer é ficar num distrito durante quatro ou cinco dias, organizar uma lista de pequenas propriedades adequadas e visitá-las de carro. Vir especialmente de Londres, por apenas 24 horas, para ver uma casa determinada me parece muito cansativo.

— Ah, claro. Veio de carro, então?

— Sim — respondeu Tuppence. — Tenho de falar com um corretor de imóveis amanhã de manhã em Market Basing. Aqui na aldeia não existe lugar nenhum, suponho, em que pudesse me hospedar, não?

— Bem, tem a sra. Copleigh — disse a srta. Bligh. — Ela aceita pessoas nas férias, sabe? Veranistas. Uma beleza de higiene. Todos os quartos são muito limpos. Naturalmente só dá cama e café pela manhã, no máximo uma ligeira refeição à noite. Porém não creio que hospede ninguém antes de agosto ou julho, no máximo.

— Quem sabe não seria melhor eu ir vê-la? — sugeriu Tuppence.

— É uma mulher incrível — avisou o pastor. — Tagarela que só vendo. Nunca para de falar, nem um minuto.

— Nesses lugarejos pequenos sempre há muito mexerico e bisbilhotice — disse a srta. Bligh. — Acho que seria uma boa ideia se eu auxiliasse a sra. Beresford. Posso levá-la até a sra. Copleigh para verificar as possibilidades.

— É muita bondade sua — agradeceu Tuppence.

— Então vamos de uma vez — decidiu a srta. Bligh, animada. — Até logo, ministro. Ainda à procura? Uma triste incumbência e tão improvável de obter êxito. Continuo achando que foi um pedido *extremamente* desproposital que lhe fizeram.

Tuppence despediu-se do pastor, declarando que teria muito prazer em ajudá-lo se pudesse.

— Posso passar facilmente uma hora ou duas examinando esses túmulos. Tenho uma visão muito boa para a minha idade. É apenas o nome Waters que lhe interessa?

— Não propriamente — respondeu. — É a idade que importa mais, creio eu. Seria, talvez, uma criança de sete anos. Uma menina. O major Waters acha que a esposa talvez tivesse trocado de nome e que a filha provavelmente havia de ser conhecida pelo novo que adotara. E como ele não sabe qual seja, torna tudo muito difícil.

— Na minha opinião, a história toda é absurda — afirmou a srta. Bligh. — Nunca devia ter aceitado uma coisa dessas, ministro. É uma monstruosidade sugerir algo assim.

— O pobre coitado parece tão transtornado — disse o pastor. — Pelo que pude deduzir, a situação é realmente triste. Mas fica para outra ocasião.

Enquanto caminhavam juntas, Tuppence pensou consigo mesma que, por pior que fosse a reputação de faladeira da sra.

Copleigh, dificilmente conseguiria superar a srta. Bligh. A mulher era uma verdadeira torrente de afirmações rápidas e ditatoriais.

O bangalô da sra. Copleigh resultou agradável e espaçoso, afastado da rua da aldeia por um jardim florido e bem cuidado na frente, uma entrada toda branca e uma maçaneta de metal de brilho imaculado. A própria sra. Copleigh dava a impressão de ter saído das páginas de Dickens. Baixinha e roliça, rolava na direção da gente que nem uma bola de borracha. Tinha olhinhos cintilantes, cabelo louro enrolado em cachos que lembravam salsichas no alto do crânio e um ar de tremenda energia. Depois de revelar certa dúvida de início...

— Bem, geralmente não aceito, sabe? Não. Meu marido e eu dizemos veranistas, é diferente. Quem pode hoje em dia faz o mesmo. São até obrigados, tenho certeza. Mas não nesta época do ano. Ah, não. Não antes de julho. Em todo caso, se for só por uns dias e a senhora não reparar na desordem, talvez...

Tuppence afirmou que não reparava, não, e a sra. Copleigh, depois de examiná-la detidamente, sem interromper a fluência da conversa, convidou-a a subir para olhar o quarto, pois quem sabe pudesse dar-se um jeito...

A essa altura, a srta. Bligh retirou-se com certo pesar por não ter conseguido arrancar de Tuppence todas as informações que queria; por exemplo: de onde viera, o que o marido fazia, que idade tinha, se possuíam filhos e outras questões de interesse. Mas pelo jeito teria de presidir uma reunião em sua casa, e parecia atemorizada ante o risco de que alguém pudesse arrebatar-lhe a cobiçada posição.

— Ficará muito bem com a sra. Copleigh — garantiu a Tuppence —, tenho certeza de que há de cuidar bem da senhora. E o que pretende fazer com o carro?

— Oh, depois eu busco — respondeu Tuppence. — A sra. Copleigh me dirá onde convém deixá-lo. Acho que não faz mal aqui na frente. A rua não é muito estreita, não é mesmo?

— Ora, meu marido arranja uma solução melhor — prometeu a sra. Copleigh. — Ele leva até o campo, logo depois deste lado da rua. Lá fica ótimo. Pode ser guardado num galpão que existe perto.

Combinou-se tudo cordialmente nessa base, e a srta. Bligh saiu apressada para atender seu compromisso. O problema seguinte foi o jantar. Tuppence indagou se havia uma taverna na aldeia.

— Ah, não temos nenhuma que uma senhora possa frequentar — explicou a sra. Copleigh —, mas caso se contente com dois ovos, uma fatia de presunto e talvez um pouco de geleia feita em casa com pão...

Tuppence disse que seria esplêndido. O quarto era pequeno, porém alegre e simpático, revestido de papel de parede com botões de rosa, uma cama de aspecto confortável e um ar geral de perfeita limpeza.

— Sim, o papel da parede é lindo, moça — declarou a sra. Copleigh, pelo visto decidida a atribuir a Tuppence a condição de celibatária. — Escolhemos com a ideia nos pares recém-casados que viriam passar a lua de mel aqui. Romântico, se sabe o que eu quero dizer.

Tuppence concordou que romance era uma coisa muito desejável.

— Quem se casa atualmente nunca tem muito dinheiro para gastar. Antes era diferente. A maioria, compreende, economiza para comprar uma casa, quando já não pagaram uma entrada. Ou precisam adquirir a mobília a crédito e não sobra nada para uma lua de mel extravagante ou qualquer coisa do gênero. Essa gente moça, sabe, é quase toda muito previdente. Não bota dinheiro fora.

Desceu a escada de novo com estrépito, continuando a falar com a mesma animação. Tuppence deitou-se na cama para dormir meia hora após um dia bastante exaustivo. Depositava, porém, grandes esperanças na sra. Copleigh, sentindo que, uma vez recuperada por completo, conseguiria levar a conversa para assuntos mais produtivos. Estava certa de que descobriria tudo o que lhe interessava a respeito da casa do canal: quem residira lá, quem gozava de má ou boa reputação na região, quais os escândalos que havia e outros tópicos semelhantes. Ficou mais convencida disso do que nunca ao ser apresentada ao sr. Copleigh, homem que mal abria a boca para falar. Sua palestra se resumia a resmungos corteses, em geral indicando anuência. E, às vezes, num rumor mais discreto, discordância.

A julgar pelas aparências, satisfazia-se em deixar a conversa a cargo da esposa. Manteve-se quase todo o tempo distraído, em parte ocupado com planos para o dia seguinte, que parecia ser de feira.

Em relação a Tuppence, o êxito foi total. Podia ser sintetizado num lema: "Se o que quer é informação, não precisa mais procurar." A sra. Copleigh funcionava tão bem quanto um aparelho de rádio ou televisão. Bastava comprimir o botão, e as palavras jorravam, acompanhadas de gestos e uma infinidade de expressões fisionômicas. Não só o corpo lembrava uma bola infantil: o rosto oferecia a mobilidade da borracha. As diversas pessoas sobre quem se referia surgiam quase como caricaturas vivas diante dos olhos da interlocutora.

Tuppence comeu bacon com ovos, fatias de pão repletas de manteiga, elogiou a geleia de amoras feita em casa, "minha predileta", proclamou com sinceridade, e fez o máximo para assimilar o dilúvio de informações para depois anotar tudo em sua agenda. Um panorama completo do passado daquele distrito do interior parecia aberto à sua frente.

A sra. Copleigh não obedecia à sequência cronológica, o que eventualmente dificultava a compreensão. Saltava de três lustros atrás a dois anos recentes ou ao mês precedente, voltando logo a uma data qualquer da década dos vinte. O conjunto exigiria uma seleção rigorosa. E Tuppence imaginava se no fim chegaria a alguma conclusão.

O primeiro botão que apertou não produziu nenhum resultado: uma referência à sra. Lancaster.

— Acho que ela morou por aqui — insinuou, emprestando certa vagueza à voz. — Possuía um quadro... muito bonito, feito por um pintor que me parece que era conhecido na aldeia.

— Como é que ela se chamava mesmo?
— Sra. Lancaster.
— Não, não me lembro de nenhum Lancaster nesta região. Lancaster. Lancaster. Houve um acidente de carro com um homem. Não, é no carro que estou pensando. Um Lanchester, isso mesmo. Sra. Lancaster? Não. Não seria a srta. Bolton, por acaso? Hoje teria uns setenta anos, mais ou menos. Talvez tivesse se casado com algum sr. Lancaster. Ela foi embora, viajou para o exterior, e de fato soube que havia se casado.

— O quadro que minha tia ganhou de presente era de um pintor chamado Boscobel... creio eu — disse Tuppence. — Que delícia de geleia.

— É que não misturo com maçã, como quase todo mundo faz. Deixa mais consistente, dizem, mas tira praticamente o sabor.

— Sim, tem toda a razão. De fato tira.

— Como era mesmo o nome do pintor? Começava com B, porém não entendi direito.

— Boscobel, acho.

— Oh, me lembro bem do sr. Boscowan. Espere um pouco. Já deve fazer... quinze anos, no mínimo, que ele apareceu por aqui. Veio vários anos consecutivos. É, sim. Gostou do lugar. Chegou a alugar um chalé. Era uma das casas do granjeiro Hart, que ele mantinha para os empregados. Só que o município construiu uma nova, sabe? Quatro, para falar a verdade, especialmente para os trabalhadores.

"O sr. B. era um verdadeiro artista — prosseguiu a sra. Copleigh. — Andava sempre com um paletó engraçado. Uma espécie de veludo ou cotelê. Tinha buracos nos cotovelos, e ele usava camisas verdes e amarelas. Sério. Certa vez fez uma exposição. Perto do Natal, me parece. Não, claro que não, deve ter sido no verão. Não passava o inverno aqui. Sim, muito bonita. Não que fosse do outro planeta, sabe como é. Apenas uma casa com um par de árvores ou duas vacas olhando de uma cerca. Mas tudo muito distinto, discreto, com cores lindas. Não que nem esses rapazes de hoje em dia."

— Aparecem sempre pintores por aqui?

— Realmente não. Nada que valha a pena mencionar. Uma ou duas mulheres costumam vir no verão para desenhar um pouco, mas não me agradam de jeito nenhum. Tivemos um rapaz no ano passado que se intitulava pintor. Não se barbeava direito. Não posso dizer que gostasse dos quadros dele. Umas cores esquisitas, tudo numa confusão, para cá e para lá. Não dava para identificar nada. Vendeu uma porção, não há dúvida. E não custavam barato, note-se.

— Deviam custar cinco libras — opinou o sr. Copleigh, entrando na conversa pela primeira vez, de modo tão repentino que Tuppence levou um susto.

— O que o meu marido quer dizer — declarou a sra. Copleigh reassumindo sua função de intérprete conjugal — é que ele acha que nenhum quadro deveria custar mais que cinco libras. As tintas não custam tanto assim. Não era isso que você queria dizer, George?

— Hã-rã — resmungou ele.

— O sr. Boscowan pintou uma paisagem da casa perto da ponte e do canal... Waterside ou Watermead, não é como a chamam? Passei por lá hoje.

— Ah, veio por aquela estrada, então? Não é muito boa, não é mesmo? Estreita demais. Sempre achei triste aquela casa. *Eu* é que não gostaria de morar lá. Muito solitária. Não concorda, George?

George emitiu um grunhido que expressava leve discordância e provavelmente desprezo pela covardia feminina.

— É onde Alice Perry mora, por sinal — lembrou a sra. Copleigh.

Tuppence teve de abandonar suas pesquisas sobre o sr. Boscowan para ouvir uma opinião sobre os Perry. Já notara que era sempre preferível acompanhar o fio da sra. Copleigh, que mudava de assunto a todo instante.

— Casal esquisito *aquele* — sentenciou.

George emitiu seu som de anuência.

—Vivem só para si. Não convivem com ninguém, como se diz. E ela anda por aí feito um espantalho, a Alice Perry.
— Louca — decretou o sr. Copleigh.
— Bem, não sei se chegaria a tanto. Ela *parece* louca, sem dúvida. Com aquele cabelo desgrenhado. E usa quase sempre casacos de homem e grandes galochas. Diz coisas estranhas e às vezes não responde quando a gente lhe faz alguma pergunta. Mas eu não diria que seja *louca*. Excêntrica, sim.
— Os outros gostam dela?
— Ninguém a conhece direito, embora morem ali há muitos anos. Corre toda espécie de *boatos* a respeito dela, mas isso, afinal, é o que não falta.
— Que boatos?
A sra. Copleigh nunca se incomodava com perguntas diretas: acolhia-as com a solicitude de quem estivesse ansiosa por responder.
— Consta que conjura espíritos à noite. Sentados ao redor da mesa. E há histórias de luzes que andam pela casa quando já está escuro. Dizem também que lê uma porção de livros inteligentes. Com coisas desenhadas neles... círculos e estrelas. Na minha opinião, quem não regula bem é Amos Perry.
— É apenas bronco — comentou o sr. Copleigh com tolerância.
— Bem, talvez você tenha razão. Mas já houve boatos sobre ele. Gosta muito de jardinagem, embora seja ignorante.
— Ocupam só metade da casa, não é? — perguntou Tuppence. — A sra. Perry me convidou para entrar. Muito gentil.
— Convidou? De fato? Não sei se eu gostaria de entrar naquela casa — disse a sra. Copleigh.
— A parte em que eles moram é boa — opinou o sr. Copleigh.
— E a outra não? — perguntou Tuppence. — A da frente, que dá para o canal?
— Olhe, corriam muitas histórias sobre ela. Naturalmente, faz anos que ninguém mora lá. Dizem que havia alguma coisa suspeita no lugar. Uma porção de rumores. Mas quando a gente

vai ver, tudo aconteceu muito antes dos que hoje vivem aqui. Séculos atrás. Foi construída há mais de cem anos, sabe? Falam que primeiro uma bela dama a ocupou, tendo sido feita por um fidalgo da corte.

— Da rainha Vitória? — indagou Tuppence, interessada.

— Não creio. A velha rainha era muito exigente. Não, acho que foi antes. Na época de um daqueles Georges. O tal fidalgo vinha vê-la aqui, e dizem que tiveram uma briga e uma noite ele cortou o pescoço da amante.

— Que horror! — exclamou Tuppence. — Não foi enforcado?

— Não. Oh, não, nada disso. Segundo consta, imagine, teve de se livrar do cadáver e então emparedou-a na lareira.

— Na lareira!

— De acordo com algumas versões, era freira e fugira do convento. Por isso tinha de ser emparedada. É assim que fazem nos conventos.

— Só que não foram freiras que a emparedaram.

— Não, não. Foi ele. O amante. E cobriu a lareira toda com tijolos, dizem, e pregou uma grande chapa de ferro por cima. Seja como for, a infeliz nunca mais foi vista, em lugar nenhum, com seus lindos vestidos. Há quem pretenda, lógico, que tenham ido embora juntos. Para morar na cidade ou voltar para outro lugar qualquer. As pessoas costumavam escutar ruídos e ver luzes na casa. Muita gente até hoje não chega perto depois que escurece.

— Mas o que aconteceu depois? — perguntou Tuppence, achando que um período anterior ao reinado de Vitória parecia demasiado remoto para o que lhe interessava.

— Bem, não sei direito se houve muita coisa mais. Um agricultor chamado Blodgick arrematou-a quando foi posta em leilão, creio eu. Não ficou bastante tempo, tampouco. Era uma espécie de fazendeiro. Por isso gostou da casa, no mínimo, mas a terra da lavoura não tinha muita serventia para ele e não soube o que fazer com ela. Então revendeu-a. Depois mudou tantas vezes de dono... Sempre chegavam construtores e faziam reformas...

novos banheiros... esse tipo de coisas... Numa ocasião, acho que morou lá um casal que criava galinhas. No entanto pegou fama, sabe, de dar azar. Mas tudo isso aconteceu um pouco antes do meu tempo. Me parece que o próprio sr. Boscowan pensou em comprá-la. Foi quando pintou aquele quadro.

— Que idade ele tinha quando apareceu por aqui?

— Eu diria uns quarenta, talvez mais. De certo modo, era um homem bonito. Engordou um bocado, mais tarde. Vivia atrás de mulheres, quanto a isso não há dúvida.

— Hã — resmungou o sr. Copleigh. Dessa vez como advertência.

— Ora essa, quem não sabe como são os pintores? — retrucou a esposa, incluindo Tuppence nesse número. — Viajam muito para a França, sabe, e pegam costumes franceses, claro.

— Não era casado?

— Na época, não. Pelo menos na primeira vez que surgiu por aqui. Tinha um fraco pela filha da sra. Charrington, mas não deu em nada. Era uma moça linda, entretanto, embora jovem demais para ele. Não devia ter mais que 25 anos.

— Quem era a sra. Charrington? — indagou Tuppence, perplexa com tantas personagens novas em cena.

"Que diabo estou fazendo aqui, afinal?", pensou, de repente, invadida por uma onda de cansaço. "Apenas ouvindo uma porção de mexericos e imaginando como crime coisas que não têm o menor fundamento. *Agora entendo...* Tudo começou quando uma velhinha simpática, mas pateta, ficou um tanto confusa e se pôs a recordar histórias sobre o tal sr. Boscowan, ou alguém que nem ele que talvez lhe desse o quadro de presente, falasse na casa e nas lendas em torno de uma infeliz emparedada numa lareira e que, por um motivo ou outro, julgou que fosse uma criança. E cá estou eu, metida neste logro. Tommy me chamou de idiota e tinha toda a razão... é exatamente o que eu *sou*."

Aguardou uma interrupção na torrente contínua de falatório da sra. Copleigh para poder levantar-se, dar boa-noite cortesmente e subir para dormir em seu quarto.

Porém o jorro da sra. Copleigh parecia positivamente inesgotável.

— Sra. Charrington? Oh, ela morou durante algum tempo em Watermead — disse. — A sra. Charrington e a filha. Era uma senhora simpática. Viúva de um oficial do Exército, creio eu. Em péssima situação financeira, mas o aluguel da casa era barato. Dedicava-se muito à jardinagem. Gostava mesmo. Só que não valia grande coisa em matéria de limpeza de casa. Fui uma ou duas vezes até lá, para fazer a faxina, mas não deu para continuar. Tinha de ir de bicicleta, sabe, e são mais de três quilômetros. Não havia ônibus naquela estrada.

— Ela morou muito tempo lá?

— Não mais de dois ou três anos, acho. No mínimo levou um susto com as encrencas que surgiram. E depois teve suas próprias complicações com a filha também. Lilian, creio que era o nome dela.

Tuppence tomou um gole do chá forte que reforçava a comida e resolveu terminar o assunto da sra. Charrington antes de ir se deitar.

— Que complicação com a filha? O sr. Boscowan?

— Não, não foi o sr. Boscowan que arranjou complicação para ela. Nunca hei de acreditar nisso. Foi o outro.

— Que outro? — perguntou Tuppence. — Alguém que morava por aqui?

— Não creio que fosse alguém da aldeia. Decerto tinha conhecido em Londres. Ela esteve lá estudando balé, parece. Ou seria pintura? O sr. Boscowan arrumou para ela entrar para uma escola na capital. Me parece que o nome era Slate.

— Slade? — sugeriu Tuppence.

— Talvez fosse. Um nome assim. Seja como for, costumava ir lá e foi assim que conheceu o tal cara, que não sei quem é. A mãe não gostou. Proibiu-a de se encontrar com ele. Imagine se adiantou alguma coisa... Era uma mulher muito tola sob vários aspectos. Que nem uma porção dessas esposas de oficiais, sabe? Pensava que as filhas obedeciam ao pé da letra. Retrógrada, em suma. Tinha estado na Índia e lugares assim, mas quando se trata de um rapaz bonito qualquer e a moça não está sob os olhos da mãe, pode ficar certa de que ela não fará o que lhe mandaram. Pois, sim. De vez em quando o tal sujeito vinha até aqui, e os dois se encontravam pelos arredores.

— E então ela arranjou complicação, não foi? — comentou Tuppence, empregando o clássico eufemismo, na esperança de que a expressão não ferisse o senso de decoro do sr. Copleigh.

— Deve ter sido ele, na certa. Em todo caso, não podia ser mais óbvio. Percebi logo a situação, muito antes que a mãe. Era uma criatura linda, se era. Grande, alta e bela. Mas, sabe, tenho a impressão de que não era do tipo que resiste a infortúnios. Sofreu um colapso, entende? Andava por aí, feito louca, falando sozinha. Na minha opinião, o tal cara tratou-a muito mal. Quando descobriu o que se estava passando, foi embora e abandonou-a. Naturalmente, qualquer mãe que se preze teria ido atrás para falar com ele e obrigá-lo a cumprir o seu dever, porém a sra. Charrington jamais teria ânimo para tanto. Ainda bem que teve juízo e levou-a embora. Fechou a casa, sério, e depois pôs à venda. Voltaram para levar os móveis, creio eu, mas nunca vieram até a aldeia ou trocaram uma só palavra com ninguém. Jamais reapareceram. Espalharam-se boatos. Eu nunca soube se tinham fundamento.

— Há gente capaz de inventar qualquer coisa — comentou o sr. Copleigh inesperadamente.

— Olhe, nisso você tem razão, George. Contudo, podia ter sido verdade. Essas coisas acontecem. E, como se diz, aquela moça não me parecia regular bem.

— Que boatos? — perguntou Tuppence.

— Olhe, de fato, nem gosto de repetir. Já passou muito tempo, e não me agradaria falar sobre algo de que não tenho certeza. Quem espalhou foi Louise da sra. Badcock, que é uma mentirosa de marca maior. As coisas que aquela menina diz... É capaz de tudo para inventar uma boa história.

— Mas qual? — insistiu Tuppence.

— Contou que essa moça Charrington tinha matado o bebê e depois se suicidado. Que a mãe ficou quase doida de pesar e os parentes tiveram que mandá-la para uma casa de saúde.

Tuppence sentiu de novo a cabeça confusa. Parecia estar flutuando na cadeira. A sra. Lancaster seria a sra. Charrington? Trocara de nome e ficara um pouco desequilibrada, obcecada pelo infortúnio da filha? A voz da sra. Copleigh prosseguia, implacável:

— Nunca acreditei numa só palavra. Aquela Louise Badcock diria não importa o quê. Na ocasião não prestamos atenção ao disse me disse e boatos. Todo mundo andava apavorado, morto de medo com as coisas que estavam acontecendo... coisas REAIS...

— Por quê? O que havia acontecido? — perguntou Tuppence, assombrada com as coisas que pareciam acontecer e girar em torno de uma aldeia de aspecto tão pacato como Sutton Chancellor.

— Decerto leu nos jornais da época. Vejamos, é bem possível que já faça vinte anos. Com toda a certeza leu. Infanticídios. Primeiro uma menina de nove anos que um dia não voltou da escola. A vizinhança em peso saiu à procura. Foi encontrada em Dingley Copse. Estrangulada. Só de lembrar, sinto um arrepio. Bem, começou com ela. Depois, cerca de três semanas mais tarde, outra. No outro lado de Market Basing... isso mesmo. Mas dentro do distrito, pode-se dizer. Um homem que tivesse carro não encontraria o menor problema para cometer aquela monstruosidade. E a partir de então houve outros. Às vezes passava um mês ou dois. E então ocorria um novo crime. Teve um a poucos quilômetros daqui; quase na aldeia, praticamente.

— Mas e a polícia? Ninguém descobriu o criminoso?

— Não há dúvida de que se esforçaram — respondeu a sra. Copleigh. — Prenderam logo um homem, isso fizeram. Alguém do outro lado de Market Basing. Disse que estava ajudando nas investigações. Sabe o que isso sempre significa. Pensaram que tinham-no agarrado. E assim foi: primeiro um, depois outro, mas cada 24 horas mais tarde eram obrigados a soltar novamente. Seja porque não podia ser ele, andava noutras paragens ou alguém lhe fornecia um álibi.

— Você não pode afirmar isso, Liz — interveio o sr. Copleigh.

— É possível que soubessem quem era o assassino. Eu diria que eles *sabiam*. Ouvi dizer que é bem comum. A polícia descobre quem cometeu o crime, mas não possui provas.

— Ah, são as esposas, isso, sim — continuou a sra. Copleigh.

— As esposas ou então as mães e até mesmo os pais. A própria polícia não consegue fazer nada, por mais que suspeitem. Uma mãe diz: "Meu filho jantou comigo naquela noite" ou a namorada afirma que foi ao cinema com ele e passou o tempo todo em sua companhia" ou "um pai diz que andou com o rapaz pelo campo, fazendo juntos qualquer coisa"... Aí não há nada que prove o contrário. Podem desconfiar de que o pai, a mãe ou a garota estejam mentindo, mas a menos que alguém apareça jurando ter visto o rapaz, o homem, ou seja lá quem for, em algum outro lugar, não conseguem fazer nada. Foi uma época medonha. Todo mundo andava em polvorosa pelas redondezas. Quando se ouvia falar que outra criança tinha desaparecido, organizavam-se expedições.

— É, foi mesmo — concordou o sr. Copleigh.

— Depois de reunidos, saíam à procura. Às vezes encontravam logo, outras levavam semanas dando buscas. Podia estar bem perto de casa, num recanto que já se pensava ter revistado. Coisa de tarado, na minha opinião. É horrível — continuou, adotando um ar virtuoso — que haja homens assim. Deviam ser fuzilados. Enforcados. E se deixassem, eu mesma me encarregava da execução. Todo homem que mata crianças e as estupra. De que adianta trancá-los em asilos, onde recebem os confortos de um lar e vivem na moleza? E depois, cedo ou tarde, soltam-nos outra vez, dizendo que estão curados e mandando-os para casa. Aconteceu coisa semelhante em Norfolk. Quem me contou foi minha irmã, que mora lá. O sujeito voltou para casa e dois dias mais tarde cometeu novo crime. Alguns desses médicos têm de ser loucos, para dizerem que esses homens estão curados quando não estão.

— E ninguém por aqui tem ideia de quem possa ter sido? — perguntou Tuppence. — Acham realmente que foi um forasteiro?

— Podia ser forasteiro na aldeia. Mas deve ter sido alguém que morava... oh! eu diria num raio de trinta quilômetros quadrados. Não precisava que fosse daqui.

—Você sempre achou que fosse, Liz.

— Porque andava alarmada — retrucou a sra. Copleigh. — A gente fica certa de que tem de ser alguém da própria vizinhança por puro medo, creio eu. Vivia-se suspeitando dos outros. Você também, George. A gente se perguntava: "Será que não é esse camarada? Ele ultimamente anda meio esquisito." Coisas desse tipo.

— Imagino que o criminoso não tivesse nada de esquisito — insinuou Tuppence. — Provavelmente tinha aspecto normal.

— Pois é, é bem capaz que tenha razão. Já me disseram que a gente nem percebe e, seja ele quem for, nunca dá sinal de loucura nenhuma. Mas outros garantem que há sempre um brilho hediondo nos olhos deles.

— Jeffreys, aquele que era sargento da polícia na época — disse o sr. Copleigh —, costumava dizer que tinha um palpite certo, mas que de nada adiantaria.

— Nunca prenderam o homem?

— Não. Durou mais de seis meses, quase um ano. De repente o negócio todo parou. E nunca mais se ouviu falar em nada desse gênero por aqui. Não, eu acho que ele deve ter ido embora. Sumiu por completo. É por isso que muita gente pensa que talvez soubesse quem foi.

— Quer dizer, por causa de pessoas que *realmente* deixaram o distrito?

— Bem, é natural, sabe? Chama atenção. Achavam que podia ter sido esse ou aquele fulano.

Tuppence hesitou antes de formular a pergunta seguinte, porém sentiu que não fazia mal nenhum, dada a paixão da sra. Copleigh em falar.

— E quem a *senhora* crê que era?

— Olhe, já faz tanto tempo que nem gostaria de comentar. No entanto certos nomes foram mencionados. Gente que era

objeto de boatos e olhados com desconfiança, sabe? Muitos julgavam que fosse o sr. Boscowan.
— É mesmo?
— Sim, porque era artista. Todos eles são estranhos. É o que dizem. Porém não creio que fosse!
— Falava-se mais em Amos Perry — lembrou o sr. Copleigh.
— O marido da sra. Perry?
— É. Ele tem umas esquisitices, entende? Meio bronco. É o tipo de sujeito que podia ter sido.
— Os Perry já moravam aqui na época?
— Sim, mas não em Watermead. Tinham um chalé a uns seis ou sete quilômetros de distância. A polícia andava de olho nele, tenho certeza.
— Mas não conseguiram arrancar nada — rematou a sra. Copleigh. — A esposa sempre o defendeu. Passava a noite em casa com ela, dizia. Sem exceção. Aos sábados, às vezes ia à taverna, porém nenhum dos crimes ocorreu em noite de sábado, portanto não provava nada. Além disso, Alice Perry era o tipo de pessoa em quem se tinha de acreditar quando prestava testemunho. Jamais cedia ou recuava. Ninguém a intimidava. Em todo caso, *ele* é que não foi. Nunca achei que fosse. Eu sei que não disponho de nada para corroborar essa afirmação, no entanto tenho uma sensação de que, se tivesse de apontar alguém, seria Sir Philip.
— Sir Philip?
A cabeça de Tuppence pôs-se a rodar de novo. Mais outra personagem em cena. Sir Philip.
— Quem é?
— Sir Philip Starke... Mora no Solar dos Warrender. Antigamente chamava-se Velho Priorado, quando os Warrender moravam lá... antes do incêndio. Pode ver os túmulos da família no cemitério e também as placas na igreja. Sempre existiram Warrender aqui, praticamente desde o tempo do Rei James.
— Sir Philip é parente deles?
— Não. Parece que fez grande fortuna ou herdou do pai. Fundições de aço ou troço parecido. Tipo muito esquisito. As

fábricas ficavam num lugar lá pelo norte, mas ele morava aqui. Nunca era visto em parte alguma. O que a gente chama de re... rec... rec... sei lá!

— Recluso — sugeriu Tuppence.

— Era essa a palavra que eu procurava. Pálido, sabe, magro e ossudo. Louco por flores. Botânico. Andava sempre colhendo tudo quanto é espécie de florzinha silvestre boba, dessas que ninguém olha duas vezes. Acho até que escreveu um livro sobre elas. Ah, mas muito inteligente, muito mesmo. A esposa era uma senhora simpática, bonita que só vendo. Porém parecia triste. Sempre tive essa impressão.

O sr. Copleigh emitiu um de seus grunhidos.

—Você está maluca — disse. — Pensar que poderia ter sido Sir Philip. Ele gostava de crianças, ora. Vivia oferecendo festas para elas.

— Sim, eu sei. Sempre organizando quermesses, com lindos prêmios para a garotada. Corridas de ovo na colher... todos aqueles chás com sorvetes de creme e morango que dava. Não tinha filhos, compreende? Às vezes parava na estrada para distribuir doces às crianças ou moedas de seis *pence* para que pudessem comprá-los. Mas não sei, não. *Eu* acho que exagerava. Era um homem esquisito. Creio que houve alguma coisa errada quando a esposa de repente foi embora e o abandonou.

— Quando foi isso?

— Deve ter sido uns seis meses depois que toda aquela desgraça começou. A essa altura três crianças já haviam sido mortas. Lady Starke partiu repentinamente para o sul da França e nunca mais voltou. A gente diria que ela não era o tipo capaz de fazer uma coisa dessas. Uma senhora discreta, de respeito. Não é possível que o tivesse deixado para fugir com outro homem. Não era desse tipo, não. Então *por que* foi embora? Eu sempre digo que é porque ela sabia de algo... descobrira alguma coisa...

— Ele ainda mora aqui?

— Não de maneira efetiva. Vem uma ou duas vezes por ano, porém a casa fica fechada a maior parte do tempo. Tem um zelador. A srta. Bligh... era a secretária dele... ela trata dos negócios de Sir Philip na aldeia.

— E a esposa?

— Morreu, coitada. Pouco depois que chegou no estrangeiro. Na igreja tem uma placa de lembrança. Decerto foi medonho para ela. Talvez a princípio não tivesse certeza, depois no mínimo começou a desconfiar do marido e então não teve mais dúvida. Não pôde suportar e fugiu.

— As coisas que as mulheres imaginam — comentou o sr. Copleigh.

— Eu apenas digo que havia *algo* duvidoso em torno de Sir Philip. Gostava demais de crianças, acho, e de um modo que não era normal.

— Fantasias femininas — decretou o sr. Copleigh.

A dona de casa levantou-se e começou a tirar as coisas da mesa.

— Até que enfim — disse o marido. — Você ainda termina causando pesadelos a essa senhora se continuar falando como as coisas eram no passado e que hoje não têm mais nada a ver com o pessoal que mora aqui.

— Ah, foi tão interessante — protestou Tuppence. — Mas estou com muito sono. Creio que agora seria melhor me recolher.

— De fato, em geral vamos cedo para a cama — declarou a sra. Copleigh —, e a senhora deve estar cansada depois do dia cheio que teve.

— Estou mesmo. Quase dormindo de pé. — Tuppence deu um enorme bocejo. — Bem, boa noite e obrigada por tudo.

— Quer que a acorde pela manhã com uma xícara de chá? Oito horas é cedo demais?

— Não, fica ótimo — afirmou Tuppence. — Mas não vá se incomodar por minha causa.

— Que incômodo que nada.

Tuppence subiu penosamente a escada. Abriu a mala, tirou as poucas coisas de que precisava, despiu-se, lavou-se e jogou-se na cama. O que tinha dito à sra. Copleigh era pura verdade. Sentia-

-se mortalmente cansada. Tudo o que ouvira passava-lhe pela cabeça como uma espécie de caleidoscópio de figuras em movimento, cercadas pelas imaginações mais aterrorizantes. Crianças assassinadas... uma infinidade de cadáveres em tenra idade. Tuppence procurava apenas uma, atrás de uma lareira, talvez ligada a Waterside. A boneca da menina. Uma menina que tinha sido morta por uma moça demente, cujo frágil cérebro enlouquecera diante do abandono do amante. Oh, meu Deus, que linguagem melodramática estou usando, pensou Tuppence. Numa confusão dessas... com a cronologia toda misturada... não se pode ter certeza da época em que isso aconteceu.

Adormeceu e sonhou. Havia uma espécie de Dama de Shalott espiando pela janela da casa. Barulho de arranhões na chaminé. Ouviram-se batidas atrás de uma grande chapa de ferro pregada ali. Pancadas ressonantes de martelo. Pam, pam, pam. Tuppence acordou. Era a sra. Copleigh batendo à porta. Entrou esfuziante, colocou o chá ao lado da cabeceira da cama, puxou as cortinas, fazendo votos de que Tuppence tivesse dormido bem. Pelo visto, ninguém jamais se sentira tão alegre quanto a sra. Copleigh. *Ela* não tivera pesadelos!

9

Uma manhã em Market Basing

— Bom — disse a sra. Copleigh, saindo afobada do quarto. — Mais outro dia. É o que sempre digo quando acordo.

"Outro dia?", pensou Tuppence, provando o forte chá preto. "Quem sabe não estou bancando a idiota?... Pode ser... Queria que Tommy estivesse aqui para conversar. A noite de ontem me deixou toda confusa."

Antes de descer, Tuppence registrou na agenda os vários fatos e nomes que conhecera na véspera. Achava-se cansada demais para tomar nota na hora de dormir. Histórias melodramáticas do passado, contendo talvez pitadas de verdade aqui e ali, mas na maioria disse me disse, malevolência, mexerico, imaginação romântica.

"De fato", refletiu, "estou começando a saber da vida amorosa de uma quantidade de gente desde o século XVIII, creio eu. Mas de que adianta isso? E o que é que estou procurando? Já nem *sei* mais. O pior é que me envolvi no caso e não posso parar".

Tremendamente desconfiada de que a primeira coisa que devia evitar era qualquer intimidade com a srta. Bligh, que na sua opinião encarnava a ameaça global de Sutton Chancellor, Tuppence recusou todas as generosas ofertas de auxílio partindo rápido de carro para Market Basing, apenas freando quando a srta. Bligh, aos gritos estridentes, abordou-a para explicar que tinha um compromisso urgente... A que horas pretendia voltar? Tuppence mostrou-se vaga... Não queria almoçar com ela?... O convite era muito gentil, porém receava que...

— Para o chá, então. Espero-a às quatro e meia.

Parecia quase uma ordem real. Tuppence sorriu, aquiesceu, soltou a embreagem e partiu.

Provavelmente, pensou, se obtivesse alguma informação interessante dos corretores de imóveis em Market Basing, Nellie Bligh poderia fornecer-lhe pormenores muito úteis. Era o tipo de mulher que se orgulha em conhecer a vida íntima de todo mundo. O problema é que estaria decidida a descobrir tudo a respeito de Tuppence. Tomara que à tarde, já suficientemente restabelecida, voltasse a ter ideias brilhantes!

— Lembre-se da sra. Blenkinsop — disse para si mesma, desviando o carro abruptamente para o lado e espremendo-se numa cerca para não ser esmagada por um enorme trator passando despreocupado.

Chegando a Market Basing, estacionou na praça principal e foi a pé ao correio, entrando numa cabine telefônica que estava livre.

A voz de Albert atendeu... com a resposta de praxe... um "alô" pronunciado com desconfiança.

— Escute, Albert... chegarei amanhã. A tempo de jantar, em todo caso... talvez antes. O sr. Beresford também, a não ser que telefone. Compre alguma coisa... galinha, acho.

— Certo, patroa. Onde é que a senhora...

Tuppence, porém, já tinha desligado.

A vida de Market Basing parecia concentrada em torno da importante praça principal... Tuppence verificara na lista de classificados, antes de sair do correio, que três das quatro imobiliárias locais ficavam situadas ali... e a quarta em George Street.

Rabiscou os nomes e pôs-se à procura dos endereços.

Começou pela firma Lovebody & Slicker, que aparentava ser a mais imponente.

Uma moça com manchas no rosto atendeu-a.

— Eu desejava informações sobre uma casa.

O pedido não despertou o menor interesse na funcionária. Tuppence poderia ter indagado a respeito de qualquer espécie rara de animal que a reação seria a mesma.

— Olhe, eu não sei, espere aí — retrucou a moça, checando se não havia nenhum colega por perto a quem pudesse passar Tuppence...

— Uma *casa* — insistiu Tuppence. —Vocês *são* corretores de imóveis, não são?

— Corretores e leiloeiros. Caso esteja interessada, o leilão de Cranberry Court será na quarta-feira. O catálogo custa dois xelins.

— Não estou interessada em leilões. Quero perguntar a respeito de uma casa.

— Mobiliada?

— Não, sem móveis... Para comprar... ou alugar.

"Manchas" se animou um pouco.

— Acho que seria melhor falar com o sr. Slicker.

A solução não podia agradar mais Tuppence. Viu-se logo sentada num pequeno escritório, diante de um rapaz em terno de tweed xadrez marrom, que começou a apresentar um grande número de especificações de residências vantajosas, murmurando comentários para si mesmo...

— Mandeville Road, 8... ótima construção, três quartos, cozinha americana... Oh, não, já foi tomada... Amabel Lodge... moradia pitoresca, dezesseis mil metros quadrados... preço reduzido para venda imediata...

Tuppence forçou-o a interromper-se:

—Vi uma casa de que gostei muito... Em Sutton Chancellor... ou melhor, perto de lá... à beira de um canal...

— Sutton Chancellor — repetiu o sr. Slicker, dubitativo. — Acho que não temos nenhuma propriedade em nossos livros atualmente. Como se chama?

— Parece que não tem nada escrito... Talvez Waterside. Rivermead... uma vez foi a Casa da Ponte. Creio — explicou Tuppence — que é dividida em duas. Uma metade está alugada, mas o inquilino não soube me dizer nada sobre a outra, que fica de frente para o canal e que é a que me interessa. Pelo jeito ninguém mora lá.

O sr. Slicker declarou, num tom indiferente, que receava não poder ajudá-la, porém dignou-se a informar que provavelmente Blodget & Burgess talvez se encontrassem em condições de fazê-lo. O tom de voz sugeria que se tratava de uma firma muito inferior.

Tuppence atravessou a praça e deparou com um prédio que lembrava uma réplica quase exata de Lovebody & Slicker: o mesmo tipo de anúncios de vendas e próximos leilões nas vitrines um pouco encardidas. A porta de entrada tinha sido pintada recentemente de uma tonalidade de verde bastante biliosa, o que não se podia considerar propriamente como mérito.

A maneira com que a receberam tampouco foi estimulante. Viu-se entregue à atenção de um tal sr. Sprig, um idoso de disposição aparentemente desanimada. Repetiu mais uma vez seus requisitos e suas condições.

O sr. Sprig confessou que sabia da existência da moradia em questão, mas não deu esperanças nem, pelo que Tuppence pôde observar, revelou muito interesse.

— Lamento, porém não está à venda. O proprietário não quer se desfazer dela.

— Quem é o proprietário?

— Realmente acho que não sei. Mudou de dono com bastante frequência... numa ocasião falou-se que seria desapropriada.

— Por que motivo uma administração local precisaria dela?

— Francamente, sra... — olhou de relance para o nome rabiscado às pressas na folha de mata-borrão — ...sra. Beresford, se fosse capaz de me dar a resposta a essa pergunta, seria mais sensata que a maioria dos incautos hoje em dia. Os desígnios dos conselhos municipais e das sociedades de planejamentos estão sempre envoltos em mistérios. A parte dos fundos da casa sofreu algumas reformas indispensáveis e foi alugada a um preço extremamente barato a um... como é mesmo?... ah, sim, a um casal, o sr. e a sra. Perry. Quanto ao proprietário atual, o cavalheiro em questão mora no exterior e parece ter perdido todo o interesse pelo lugar. Creio que houve um problema qualquer em torno da herança de um menor e foi administrada por executores testamentários.

Surgiram certas dificuldades legais... A lei tende a ser dispendiosa, sra. Beresford... Imagino que o dono ficaria muito contente se a casa desmoronasse... e a única parte reformada foi a habitada pelos Perry. Lógico que a terra, em si, pode sempre valorizar no futuro... O conserto de residências em escombros raramente traz lucro. Se estiver interessada numa propriedade desse tipo, tenho certeza de que podemos oferecer-lhe algo muito mais valioso. Desculpe a pergunta, mas o que a atraiu especialmente naquela casa?

— Gostei do aspecto — respondeu Tuppence. — É muito *bonita*... Via-a pela primeira vez do trem...

— Ah, entendo... — O sr. Sprig dissimulou da melhor maneira possível uma expressão que diria: "a insensatez das mulheres é incrível", e aconselhou delicadamente: — Se eu fosse a senhora, esqueceria o assunto por completo.

— Suponho que poderiam escrever ao proprietário, perguntando se não quer vendê-la... a menos que prefiram me dar o endereço dele... ou deles...

— Já que insiste, entraremos em contato com os procuradores... mas não lhe posso prometer nada.

— É incrível como a gente tem de recorrer a procuradores para tudo hoje em dia. — Tuppence procurou demonstrar ao mesmo tempo frivolidade e impaciência... — E os advogados demoram *tanto* para resolver qualquer coisa.

— Ah é... a lei é pródiga em delongas...

— E os *bancos,* então... são piores!

— Bancos... — O sr. Sprig pareceu um pouco surpreso.

— Há muita gente com mania de dar um *banco* como endereço. É irritante também.

— Sim... sim... é como a senhora diz... Mas as pessoas são tão instáveis nos dias que correm, mudam-se com tanta frequência... morando no exterior e tudo o mais. — Abriu uma gaveta da escrivaninha. — Olhe, eu tenho uma propriedade aqui, Crossgates... a três quilômetros de Market Basing... em ótimas condições... lindo jardim...

Tuppence pôs-se de pé.

— Não, obrigada.

Despediu-se do sr. Sprig com firmeza e saiu na praça.

Fez uma rápida visita à terceira firma, que parecia ocupar-se quase que exclusivamente de vendas de gato, granjas de galinha e chácaras, em geral em condições de abandono.

Deixou por último Roberts & Wiley, em George Street... uma empresa pequena, mas pelo visto dinâmica e solícita... embora praticamente desinteressada e ignorante sobre tudo o que se referisse a Sutton Chancellor e ansiosa por vender residências em fase de construção por preços ridiculamente exorbitantes... A ilustração de um exemplo provocou um calafrio de horror em Tuppence. O ávido rapaz, vendo a possível cliente disposta a partir, admitiu de má vontade a existência de um lugar chamado Sutton Chancellor.

—A senhora disse Sutton Chancellor? É melhor tentar Blodget & Burgess, na praça. Eles administram uma propriedade por aqueles lados... mas tudo está em péssimas condições... em escombros...

— Há uma casa linda por lá, perto de uma ponte no canal... eu enxerguei do trem. Por que ninguém quer morar nela?

— Oh! Conheço o lugar, essa... Riverbank... Ninguém quer ficar ali, nem por nada... Tem fama de mal-assombrada.

— Fantasmas... quer dizer?

— É o que consta... Há uma porção de histórias em torno. Barulhos à noite. E gemidos. Na minha opinião, garanto que não passam de baratas.

— Oh, meu Deus — lamentou Tuppence. — Me parecia tão simpática e isolada.

— Isolada demais, na opinião da maioria. Enchentes no inverno... pense só nisso.

—Vejo que há muita coisa em que pensar — retrucou Tuppence, mordaz.

Saiu murmurando sozinha, dirigindo-se ao "Cordeiro e Estandarte", onde tencionava se reanimar com um bom almoço.

— Uma porção de coisas em que pensar... inundações, insetos, fantasmas, correntes estrepitosas, proprietários e locadores ausentes, procuradores, bancos... uma casa que ninguém quer nem gosta... exceto *eu*, talvez... Ora bolas, o que eu quero agora é COMER. A comida no "Cordeiro e Estandarte" era ótima e farta... pratos substanciosos para lavradores, em vez de falazes cardápios franceses para atrair turistas... Sopa grossa e picante, pernil com molho de maçã, queijo Stilton... ou ameixas com creme, para quem preferisse... o que não era seu caso...

Depois de andar um pouco a esmo, Tuppence foi buscar o carro e regressou a Sutton Chancellor — incapaz de considerar a excursão frutífera.

Quando dobrou a última curva e a igreja da aldeia ficou à vista, enxergou o pastor saindo do cemitério. Caminhava com um passo cansado. Parou o automóvel ao lado dele.

— Ainda à procura do tal túmulo? — perguntou.

O clérigo apoiava a mão na altura dos rins.

— Ah, meu Deus — exclamou —, meus olhos não andam muito bons. Há tantas inscrições praticamente apagadas. As costas me doem também. A maioria das lápides fica deitada no chão. Francamente, às vezes, quando me curvo, tenho medo de não poder voltar à posição normal.

— Se eu fosse o senhor, desistia — aconselhou. — Se já procurou no registro da paróquia e tudo o mais, fez o máximo possível.

— Eu sei, mas o pobre coitado parecia tão ansioso, tão empenhado. Tenho absoluta certeza de que é trabalho perdido. No entanto, realmente achei que era meu dever. Tem ainda um pequeno trecho que não examinei, ali adiante, atrás do teixo, até o muro oposto... embora quase todas as lápides sejam do século XVIII. Porém gostaria de sentir que terminei minha tarefa como devia. Então não teria nada a me recriminar. Seja como for, deixarei para amanhã.

— Isso mesmo — apoiou Tuppence. — Não é preciso fazer tudo de uma só vez. Olhe, tive uma ideia — acrescentou. —

Depois de tomar chá com a srta. Bligh, eu mesma vou dar uma olhada. Do teixo até o muro, o senhor diz?

— Oh, mas eu não posso permitir, de maneira nenhuma...

— Fique tranquilo. Acho que vai ser divertido. Gosto muito de passear em cemitério. Sabe como é, as inscrições mais antigas proporcionam uma espécie de quadro das pessoas que moraram aqui e todas essas coisas. Vou até gostar, é sério. Por favor, vá para casa descansar.

— Bem, naturalmente eu devo preparar um pouco o meu sermão de logo mais, nem há dúvida. A senhora me parece uma pessoa muito prestativa. Uma *verdadeira* amiga.

Sorriu e foi-se embora para a casa paroquial. Tuppence consultou o relógio de pulso. Dirigiu-se à residência da srta. Bligh: "É melhor terminar logo com isso", pensou. A porta da frente estava aberta, e encontrou-a carregando um prato de bolinhos recém-tirados do forno, entre o corredor e a sala de visitas.

— Oh! Ei-la finalmente, cara sra. Beresford. Estou *tão* contente em vê-la. O chá já está quase pronto. Botei a chaleira no fogo. Só falta encher o bule. Espero que tenha feito todas as compras — acrescentou, olhando de maneira um tanto ostensiva para a sacola vazia que Tuppence trazia no braço.

— Olhe, para ser franca não tive muita sorte — retrucou, com a melhor cara que pôde. — Sabe como é às vezes... um desses dias em que a gente não consegue a cor ou o tipo de coisa exata que se procura. Mas eu sempre gosto de dar uma olhada por um lugar novo, ainda que não apresente grande interesse.

A chaleira deixou escapar um assobio estridente, e a srta. Bligh se precipitou à cozinha para atendê-la, espalhando uma pilha de cartas por remeter que estavam sobre a mesa do vestíbulo.

Tuppence abaixou-se para apanhá-las, reparando, antes de colocá-las no lugar, que a de cima era endereçada a uma certa sra. York, Rosetrellis Court para Senhoras Idosas... numa determinada localidade em Cumberland.

— Puxa — pensou —, estou começando a pensar que neste país só existem asilos para velhice! Garanto como não demora muito para que Tommy e eu também ingressemos num!

Pouco tempo antes, um amigo todo solícito lhes escrevera, recomendando um ótimo estabelecimento em Devon... para casais... na maioria, funcionários públicos aposentados. Comida de boa qualidade... Levava-se a própria mobília e objetos de uso pessoal.

A srta. Bligh reapareceu com o bule, e as duas sentaram-se para tomar chá.

A conversa da dona da casa era menos melodramática e colorida que a da sra. Copleigh e preocupava-se mais em obter informações do que em fornecê-las.

Tuppence comentou vagamente os anos passados no serviço diplomático no estrangeiro... as dificuldades da vida doméstica na Inglaterra, entrando em detalhes sobre um filho e uma filha, ambos casados e com prole, e desviou o assunto delicadamente para as múltiplas atividades da srta. Bligh em Sutton Chancellor... o Instituto Feminino, guias, escoteiros, a União Conservadora das Mulheres, conferências, arte grega, fabricação de geleias, ornamentação de flores, o Clube do Desenho, a Sociedade de Arqueologia... A saúde do pastor, a necessidade de persuadi-lo a cuidar um pouco de si mesmo, sua distração... As lamentáveis diferenças de opinião entre os zeladores da igreja...

Tuppence elogiou os bolinhos, agradeceu a hospitalidade e levantou-se para ir embora.

— A senhora possui uma vitalidade maravilhosa, srta. Bligh — felicitou-a. — Não sei como consegue se ocupar de tanta coisa ao mesmo tempo. Devo confessar que após um dia de excursão e compras gosto de descansar um pouco em minha cama... apenas meia hora, mais ou menos, de olho fechado... Numa cama bem cômoda, lógico. Tenho de lhe agradecer muito por me recomendar a sra. Copleigh...

— Uma mulher de toda a confiança, embora não há que negar que fale demais...

— Oh! Achei extremamente divertidas as histórias que me contou dos moradores locais.

— A maior parte do tempo ela nem sabe do que está falando! Pretende demorar-se alguns dias?

— Oh, não... Vou-me embora amanhã. Fiquei decepcionada. Não encontrei nenhuma pequena propriedade conveniente... Tinha esperança naquela casa tão pitoresca à beira do canal...

— A vantagem foi sua. Está em péssimo estado de conservação... Locadores ausentes... é uma pena...

— Nem consegui descobrir a quem pertence. Vai ver que a *senhora* sabe. Parece conhecer tudo por aqui...

— Nunca me interessei muito por aquela casa. Sempre muda de dono... Não dá para acompanhar o andamento. Os Perry ocupam metade... enquanto a outra parte simplesmente se estraga e arruína.

Tuppence tornou a se despedir e partiu para a residência da sra. Copleigh. Encontrou tudo quieto e aparentemente deserto. Subiu ao quarto, largou a sacola de compras vazia, lavou o rosto, empoou o nariz, saiu de novo na ponta dos pés, observou a rua em ambas as direções e depois, deixando o carro onde estava, dobrou rapidamente a esquina e tomou um atalho que cruzava o campo atrás da aldeia e ia dar, eventualmente, num torniquete que comunicava com o cemitério.

Tuppence entrou e, conforme prometera, pôs-se a examinar as lápides. Era a hora do crepúsculo, e reinava uma grande tranquilidade no local. Não tinha realmente nenhum motivo oculto para proceder àquela busca. Não havia nada ali que esperasse descobrir. Tratava-se, de fato, de mera delicadeza de sua parte. O velho pastor era um encanto de pessoa, e Tuppence gostaria de que ele se sentisse inteiramente em paz com a própria consciência. Levara uma agenda e um lápis para a eventualidade de achar qualquer coisa digna de anotar para ele. Presumia que devia apenas procurar uma provável sepultura que assinalasse o lugar onde estava enterrada uma criança da idade indicada. Não viu nenhuma que fosse tão recente. A maioria apresentava restrito interesse, não tendo suficiente antiguidade para despertar curiosidade ou mostrar inscrições comoventes ou ternas. Eram quase todas de pessoas relativamente idosas. Mesmo assim demorou-se um pouco a contemplá-las, compondo quadros na imaginação. Jane Elwood, falecida em 6 de janeiro, com 45 anos. William Marl, falecido a 5 de janeiro, "saudades eternas". Mary Treves, com cinco anos apenas. Dia 14 de março de 1835. Há mais de um século. "Em tua presença, a plenitude da alegria." Feliz Mary Treves!

Chegou bem perto do muro. As sepulturas naquele recanto estavam abandonadas e cobertas de hera. Ninguém parecia cuidar desse pedaço do cemitério. Várias lápides já nem estavam mais em posição vertical, espalhadas pelo chão. O muro estava danificado e desmoronando. Havia lugares em que se desfizera por completo.

Ficando escondido pela igreja, não podia ser enxergado da estrada... e sem dúvida os moleques vinham fazer todo o estrago que podiam. Tuppence curvou-se sobre uma das lajes... Os dizeres originais estavam gastos e ilegíveis... Mas erguendo-a de lado, Tuppence distinguiu algumas letras e palavras rabiscadas toscamente, agora também em parte cobertas pela vegetação.

Abaixou-se para traçá-las com o indicador e decifrou palavras isoladas...

Ai de quem... escandalizar.. inocentes..

Mó... Mó...Mó... e embaixo... num entalhe malfeito:

Aqui jaz Lily Waters.

Tuppence, de espanto, reteve o fôlego... Percebeu que havia uma sombra às suas costas, mas antes que pudesse se virar... sentiu uma violenta pancada na nuca e caiu de bruços sobre o túmulo, mergulhando na dor e nas trevas.

Terceira parte

A esposa desaparecida

10

Uma conferência... e depois

— Então, Beresford — perguntou o major-general Sir Josiah Penn, KMG, CB, DSO,* com a solenidade apropriada à profusão impressiva de letras que acompanhavam seu nome —, que me diz de todo esse lero-lero?

Por essa observação Tommy deduziu que o Velho Josh, como era irreverentemente apelidado pelas costas, não estava impressionado com o resultado do andamento das conferências de que participavam.

— Conversa fiada não resolve nada — prosseguiu Sir Josiah.
— Muita fumaça e pouco fogo. E se alguém sugere uma medida sensata, na mesma hora quatro gênios se levantam para protestar. Francamente, não sei por que essa gente toda vem aqui. Isto é, no fundo *eu* sei. Pelo menos no *meu* caso. Os outros é que não sabem. Se eu não viesse, teria de ficar em casa. E sabe o que acontece lá? Sou tiranizado, Beresford. Pela governanta, pelo jardineiro. É um velho escocês que nem sequer me deixa tocar em meus próprios pêssegos. Por isso venho para cá, me mexo de um lado para o outro e finjo que estou exercendo uma função útil, garantindo a segurança da pátria! Que rematada tolice! Mas e você? Ainda é relativamente moço. Por que desperdiça seu tempo com um troço desses? Ninguém lhe prestará atenção, mesmo que diga coisas que valham a pena ouvir.

---

* *KMG*: Knight Commander of the Order of St. Michael and St. George. *CB*: Companion of the Bath. *DSO*: Companion of Distinguished Service Order. Condecorações da Coroa Real Britânica. (N. do T.)

Tommy, ligeiramente divertido com o fato de que, apesar de se considerar em idade avançada, fosse julgado jovem por Sir Josiah Penn, sacudiu a cabeça. Pelos seus cálculos, o major-general devia estar com muito mais de oitenta anos, mas embora estivesse um pouco surdo e sofresse de bronquite crônica ninguém o fazia de tolo.

— Se o senhor não viesse — afirmou —, não se chegaria a nenhum resultado.

— Também acho — disse o general. — Sou um velho buldogue desdentado... mas ainda posso latir. Como vai a sra. Tommy? Faz tempo que não nos vemos.

Tommy informou que Tuppence ia bem e andava sempre ativa.

— Ela sempre foi. Às vezes até parecia ter o diabo no corpo. Agarrava-se a um pressentimento aparentemente absurdo que lhe vinha à ideia e depois descobria-se que não era tão absurdo assim. Muito divertida! — comentou, com ar de aprovação. — Não simpatizo com essas mulheres sérias de meia-idade que a gente encontra hoje em dia, todas empenhadas numa Causa com C maiúsculo. E quanto às moças... — Sacudiu a cabeça. — Não são como as do meu tempo. Como eram lindas! Aqueles vestidos de musselina! E os chapéus *cloche* que usaram certa época! Você se recorda? Não, imagino que estaria na escola. Precisava-se espiar por baixo da aba para enxergar o rosto. Uma coisa tantalizante, e elas *sabiam*! Agora lembrei... espere... era uma parenta sua... uma tia, não é mesmo?... Ada. Ada Fanshawe...

— Tia Ada?

— A moça mais bonita que vi em toda a minha vida.

Tommy mal conseguiu disfarçar sua surpresa. Parecia-lhe inacreditável que tia Ada pudesse ter sido considerada um paradigma de beleza. O Velho Josh continuava, todo agitado:

— Sim, parecia uma pintura. E como era viva! Alegre! Provocante como só ela. Ainda me lembro da última vez que nos vimos. Eu era um subalterno, de partida para a Índia. Fomos a um piquenique na praia, em noite de luar... Nos afastamos do grupo e nos sentamos num rochedo, olhando o mar.

Tommy fitou-o com grande interesse. Aquela papada, a cabeça careca, as sobrancelhas hirsutas e a enorme barriga. Imaginou tia Ada: o buço incipiente, o sorriso malévolo, o cabelo grisalho, cor de ferro, o olhar malicioso. O que o tempo faz com as pessoas! Tentou visualizar um belo jovem subalterno e uma linda moça ao luar. Desistiu.

— Fabuloso — disse Sir Josiah Penn, suspirando fundo. — Ah, sim, fabuloso. Queria pedi-la em casamento naquela mesma noite, mas de que jeito se era apenas um subalterno que ganhava um soldo irrisório? Teríamos de esperar cinco anos, no mínimo, para casar. Era um noivado longo demais para uma moça aceitar. Enfim! Sabe como são essas coisas. Fui para a Índia, e passou-se muito tempo antes que pudesse obter uma licença. Trocamos algumas cartas, mas depois a correspondência cessou. Como geralmente acontece. Jamais a revi. E, no entanto, sabe, nunca consegui esquecê-la. Pensava nela com frequência. Lembro-me de que certa vez, anos mais tarde, quase lhe escrevi. Soube que estava nas imediações de uma casa onde eu estava hospedado. Quis ir procurá-la, perguntar se podia visitá-la. Aí então disse comigo mesmo: "Não seja idiota. Vai ver que provavelmente mudou muito." Passados mais alguns anos, escutei um sujeito dizer que ela era uma das mulheres mais feias que já tinha visto. Mal pude acreditar nos meus ouvidos, mas de fato creio que foi sorte nunca tê-la encontrado de novo. Por onde anda agora? Continua viva?

— Não. Faleceu há cerca de duas ou três semanas, para falar a verdade — respondeu Tommy.

— É mesmo? Não diga! É, suponho que estaria com... quanto mesmo? Setenta e cinco ou setenta e seis? Até um pouco mais velha, talvez.

— Tinha oitenta.

— Imagine só. A morena e vivaz Ada. Onde morreu? Estava numa casa de saúde ou morava com alguém?... Nunca se casou, não foi?

— Não — confirmou Tommy —, nunca. Estava num asilo para velhice. Muito bom, por sinal. Chamado Sunny Ridge.

— Ah, conheço de nome. Sunny Ridge. Creio que minha irmã conhecia uma senhora internada lá. Uma tal sra... ora, como era mesmo?... Sra. Carstairs. Chegou a encontrá-la?

— Não. Não cheguei a ver muita gente lá. A gente costumava apenas visitar tia Ada.

— Deve ser um negócio difícil, também. Quero dizer, nunca se sabe o que conversar.

— Com titia, então, era um problema. Uma verdadeira fera, sabe?

— Não duvido. — O general riu. — Sabia ser um autêntico demônio quando queria, no tempo de moça.

Suspirou.

— Essa coisa de envelhecer é terrível. Uma das amigas de minha irmã sofria de manias, coitada. Vivia dizendo que tinha matado alguém.

— Santo Deus — exclamou Tommy. — E tinha mesmo?

— Oh, acho que não. Parece que ninguém acreditava. Eu creio — continuou o general, pensativo — que *talvez* tivesse, sabe? Quando a gente começa a espalhar coisas desse tipo com o ar mais alegre deste mundo, ninguém acredita, não é mesmo? Que tal a ideia, hein?

— Quem é que ela julgava ter assassinado?

— Sei lá. O marido? Nunca soube o que ele fazia nem como era. Quando viemos a conhecê-la, já estava viúva. Olhe — acrescentou com um suspiro —, lamento a notícia da morte de Ada. Não li no jornal. Senão teria enviado flores ou qualquer coisa. Um buquê de rosas ou algo parecido. Na época era o que as moças usavam nos vestidos de gala. Ficava tão bonito... Lembro-me de que Ada tinha um... cor de hortênsia, uma espécie de malva. Todo azulado, com botões de rosa no peito. Uma vez me deu um. Não verdadeiro, lógico. Artificial. Guardei durante muito tempo... anos. Eu sei — disse, percebendo o olhar de Tommy — que dá vontade de rir, não é? Ouça o que lhe digo, rapaz, quando a gente fica realmente velho e gagá que nem eu, volta a ser sentimental. Bem, acho melhor ir andando para assistir ao último ato deste ridículo espetáculo. Dê lembranças à sra. T. quando chegar em casa.

No dia seguinte, no trem, Tommy recapitulou essa conversa, sorrindo consigo mesmo e tentando outra vez imaginar a terrível tia e o ardente major-general em seus dias de juventude.

— Preciso contar para Tuppence. Ela vai achar graça. O que será que andou fazendo durante minha ausência?

Tornou a sorrir.

II

O fiel Albert abriu a porta de entrada com radiante acolhida.

— Que bom que o senhor está de volta.

— Eu que o diga... — Tommy entregou-lhe a mala. — Onde está a sra. Beresford?

— Ainda não chegou, patrão.

— Quer dizer que ela foi para fora?

— Há três ou quatro dias. Mas virá para o jantar. Telefonou ontem avisando.

— O que é que ela anda tramando, Albert?

— Francamente, não sei. Foi de carro, mas levou junto uma porção de guias ferroviários. Pode estar em qualquer lugar, por assim dizer.

— Sim, sem dúvida — retrucou Tommy com convicção. — Onde o diabo perdeu as botas... ou no fim do mundo... e decerto na volta perdeu a conexão num brejo qualquer. Que Deus proteja as ferrovias britânicas! Ela telefonou ontem, então? Não disse em que lugar estava?

— Não.

— A que horas foi isso?

— De manhã. Antes do almoço. Disse apenas que estava tudo bem. Não tinha certeza da hora em que ia chegar, mas achava que seria muito antes do jantar e sugeriu uma galinha. Fica bem para o senhor também?

— Fica — respondeu Tommy, consultando o relógio de pulso —, só que ela vai ter de se apressar.

— Eu controlo a galinha no forno — prometeu Albert.

Tommy sorriu.

— Isso mesmo. Segure-a pelo rabo. Como vai você, Albert? Tudo em ordem em casa?

— Houve um susto com sarampo... Mas não foi nada. O doutor disse que é benigno.

— Ótimo.

Tommy subiu a escada assobiando alegremente. Entrou no banheiro, fez a barba, lavou-se, passou ao quarto de dormir e olhou em torno. Apresentava aquele curioso ar de abandono que certos quartos têm quando os ocupantes se ausentam. Frio e inóspito. Estava tudo escrupulosamente arrumado e limpo. Teve uma sensação de tristeza, como a que ocorreria a um cão fiel, por exemplo. Percorrendo-o com o olhar, parecia-lhe que Tuppence nunca existira. Nenhum talco esparramado, nenhum livro virado para baixo, de capa aberta, marcando a página.

— Patrão.

Era Albert, parado na soleira da porta.

— O que é?

— Estou ficando preocupado com a galinha.

— Ora, a galinha que vá para o inferno — exclamou. — Você parece que não tem outra coisa na cabeça.

— Ué, eu pensei que o senhor e a patroa chegariam o mais tardar às oito. Quero dizer, estariam à mesa no máximo a essa hora.

— Foi o que eu também pensei — disse Tommy, olhando o relógio. — Santo Deus, já faltam vinte e cinco para as nove?

— Exatamente, patrão. E a galinha...

— Ora essa — atalhou Tommy —, tire-a do forno e vamos comê-la de uma vez. Bem feito para a Tuppence! "'Vou voltar muito antes do jantar." Pois sim!

— Claro que algumas pessoas jantam tarde — comentou Albert. — Uma vez estive na Espanha e, acredite, nunca se conseguia comer antes das dez. Da noite. Veja só! Pagãos!

— Está bem — retrucou Tommy distraído. — A propósito, não sabe onde ela andou esse tempo todo?

— O senhor se refere à patroa? Não sei, não. Correndo por aí, acho. Pelo que pude entender, a primeira coisa que ela pensou foi em viajar de trem. Estava sempre consultando o ABC, com os horários e tudo o mais.

— É, imagino que cada um se diverte como pode. Ela, pelo jeito, tem um fraco por viajar de trem. Mesmo assim, gostaria de saber onde está. Decerto sentada na sala de espera da estação de um brejo qualquer.

— Ela sabia que o senhor ia chegar hoje, não sabia, patrão? Não se preocupe que ela acaba aparecendo. Tenho certeza.

Tommy percebeu que estava recebendo um penhor de lealdade. Ele e Albert estavam solidários em censurar uma Tuppence que, durante seu idílio com as ferrovias britânicas, negligenciava a pontualidade de receber o marido com um acolhimento condigno.

Albert retirou-se para livrar a galinha da possível desgraça de ser cremada no forno.

Tommy, que esboçara um gesto para acompanhá-lo, deteve-se e olhou a lareira. Aproximou-se lentamente e contemplou o quadro ali pendurado. Estranho que ela tivesse tanta certeza de ter visto antes aquela casa. Tommy estava absolutamente seguro de que *nunca* a vira. Em todo caso, parecia-lhe uma casa comum. Devia haver uma porção de outras iguais.

Espichou-se o máximo que pôde e, como se ainda assim não lograsse enxergar bem, tirou-o do gancho e levou-o para perto da lâmpada. Uma residência tranquila e simpática. Trazia a assinatura do pintor. O nome começava por B, embora não desse para entender exatamente. Bosworth... Bouchier... Conseguiria uma lente de aumento para examinar melhor. Um alegre repique de cincerros veio do vestíbulo. Albert se encantara com os cincerros suíços que Tommy e Tuppence compraram certa vez em Grindelwald. Tornara-se um virtuoso em manejá-los. O jantar estava na mesa. Tommy se encaminhou à sala de jantar. Achava esquisito que Tuppence ainda não houvesse chegado. Mesmo que tivesse furado um pneu, o que era mais que provável, admirava-se de que não telefonasse para explicar ou se desculpar pelo atraso.

— Podia adivinhar que eu ficaria preocupado — disse consigo mesmo.

Não, naturalmente, que algum dia *tivesse* ficado... não com Tuppence. Sempre saía-se bem em tudo. Albert contrariou essa disposição.

— Tomara que não tenha sofrido um acidente — observou, oferecendo-lhe um prato de repolho e sacudindo a cabeça de modo lúgubre.

— Tire isso daqui. Você sabe que eu detesto repolho — disse Tommy. — À saúde de que sofreria um acidente? São apenas 21h30.

— Andar de carro na estrada hoje em dia é um verdadeiro suicídio — afirmou Albert. — Qualquer pessoa pode sofrer um desastre.

O telefone tocou.

— É ela — exclamou Albert.

Largando logo o prato de repolho no aparador, saiu às pressas da sala. Tommy se levantou, abandonando a galinha, e seguiu-o. Já estava dizendo "Deixe que eu atendo!" quando Albert falou:

— Alô! Sim, sr. Beresford está. Vai atender. — Virou-se para Tommy. — Um tal de dr. Murray quer falar com o senhor.

— Dr. Murray?

Tommy pensou um instante. O nome parecia familiar, mas de momento não podia saber quem era. Se Tuppence tivesse sofrido um acidente... e então, com um suspiro de alívio, lembrou-se de que o dr. Murray era o médico que atendia as velhas em Sunny Ridge. Talvez fosse algo relacionado com os formulários de óbito de tia Ada. Autêntico filho de nossos dias, Tommy imediatamente supôs que se tratava de um problema burocrático qualquer... alguma coisa que deveria ter assinado ou que o dr. Murray se esquecera de assinar.

— Pronto — atendeu —, aqui é Beresford.

— Ah, que bom que o encontrei em casa. Espero que se recorde de mim. Tratei de sua tia, a srta. Fanshawe.

— Lembro perfeitamente, sim. Desejava alguma coisa?

— Precisava muito ter uma conversa com o senhor qualquer dia desses. Que tal se marcássemos um encontro na cidade, talvez?

— Sim, por que não? Perfeitamente. Mas... hum... o assunto não pode ser tratado pelo telefone?

— Preferia que não. Não há tanta urgência. Não vou dizer que haja... porém gostaria de ter uma conversa com o senhor.

— Alguma coisa errada? — perguntou Tommy, surpreso por se expressar dessa maneira. Por que haveria alguma coisa errada?

— De fato não. Talvez eu esteja fazendo tempestade em copo d'água. Provavelmente estou. Porém ocorreram certos acontecimentos bastante curiosos em Sunny Ridge nesses últimos tempos.

— Nada em relação à sra. Lancaster, não é? — perguntou Tommy.

— Sra. Lancaster? — O médico pareceu surpreso. — Oh, não. Ela foi-se embora já há algum tempo. Creio mesmo que... antes da morte de sua tia. Trata-se de algo bem diferente.

— Estive fora... acabo de chegar. Quem sabe não seria melhor eu ligar para o senhor amanhã de manhã... então combinaríamos.

— Perfeito. Deixo-lhe meu telefone. Estarei na clínica até as dez.

— Más notícias? — indagou Albert quando Tommy voltou à sala de jantar.

— Pelo amor de Deus, Albert, pare de bancar a ave de mau agouro! — retrucou Tommy, irritado. — Não... claro que não foram más notícias.

— Pensei talvez que a patroa...

— Ela está muito bem — garantiu Tommy. — Sempre esteve. Provavelmente correndo feito lebre atrás de alguma pista duvidosa qualquer... Sabe como ela é. Não vou me preocupar mais. Tire daqui este prato de galinha... Você o deixou no forno aceso, e está intragável. Me dê um pouco de café. Depois vou dormir.

— Amanhã decerto virá carta. Entregue com atraso... o senhor sabe como é o correio... ou então um telegrama... um telefonema.

No dia seguinte, porém, não houve carta nem telefonema nem telegrama.

Albert olhou para Tommy, abriu e fechou a boca várias vezes, julgando com toda a razão que previsões sombrias de sua parte não seriam bem recebidas.

Finalmente Tommy se compadeceu dele. Engoliu um último naco de torrada, coberto de geleia de laranja e misturado com um pouco de café, e disse:

— Está bem, Albert, deixe que a pergunta parta de mim: *onde anda ela?* O que lhe aconteceu? E o que devemos fazer?

— Chamar a polícia, patrão?

— Não tenho certeza. Escute...

Fez uma pausa.

— Se ela sofreu um desastre...

— Mas tinha a carteira de motorista... e uma porção de documentos de identidade... Os hospitais são muito rápidos para comunicar essas coisas... entrar em contato com parentes... e tudo o mais. Não quero me precipitar... Ela... ela... talvez não queira. Você não tem nenhuma ideia... nenhuma mesmo, Albert, de para onde ela tencionava ir?... Nada que tenha dito? Um lugar... uma região especial? Nem uma referência a um nome qualquer?

Albert sacudiu a cabeça.

— Como era o jeito dela? Alegre? Agitada? Triste? Inquieta?

A resposta de Albert foi instantânea:

— Feliz da vida... Estourando de contentamento.

— Que nem um perdigueiro no rastro — disse Tommy.

— Isso mesmo, patrão... O senhor sabe como ela fica...

— Atrás de alguma pista... Só queria saber...
Parou para refletir.

Alguma coisa acontecera e, tal como acabava de dizer a Albert, Tuppence saíra correndo como um perdigueiro de bom faro. Anteontem telefonara, avisando que ia chegar. Por que, então, não voltara? Talvez neste momento, pensou Tommy, esteja sentada em algum lugar, pregando mentiras com tanto prazer que se esqueceu do resto!

Se andava empenhada em alguma busca, ficaria extremamente aborrecida se ele se abalasse a avisar a polícia, balindo feito um carneiro, que a esposa tinha desaparecido... Parecia ouvi-la: "Como é que você pôde ser tão boboca para fazer uma coisa dessas?! Sou *perfeitamente* capaz de cuidar de mim mesma. Já era tempo que soubesse disso!" (Mas seria, de fato, capaz?)

Nunca se podia saber com certeza aonde a imaginação de Tuppence a levaria.

A algum risco? Por enquanto não se manifestara nenhuma evidência de perigo nessa história... Exceto, conforme se observou há pouco, na própria imaginação de Tuppence.

Se fosse à polícia, declarando que a esposa não viera para casa como pretendia... Haviam de ficar sentados, muito comedidos, porém no mínimo rindo por dentro, e depois, com absoluta certeza e sempre guardando o maior tato, perguntariam quem eram os amigos dela...

— Tenho de encontrá-la sozinho — disse Tommy. — Há de estar *em algum lugar*. Seja norte, sul, leste ou oeste, pouco se me dá... só sei que foi uma verdadeira biruta em não deixar uma indicação qualquer sobre onde estava quando telefonou.

— Talvez caísse nas mãos de uma quadrilha — sugeriu Albert.

— Ora, deixe de criancices, Albert! Você já está taludo demais para esse tipo de brincadeira!

— Que tenciona fazer, patrão?

— Irei a Londres — declarou Tommy, consultando o relógio. — Primeiro vou almoçar no clube com o dr. Murray, que ligou para cá ontem à noite e quer me falar alguma coisa relacionada com os negócios de minha falecida tia... É possível que me dê algum palpite aproveitável... Afinal de contas, a história toda começou em Sunny Ridge. Também pretendo levar junto aquele quadro pendurado em cima da lareira do nosso quarto...

— Quer dizer que vai levá-lo à Scotland Yard?

— Não — respondeu Tommy. — Vou levá-lo a Bond Street.

11

Bond Street e o dr. Murray

Tommy saltou do táxi, pagou a corrida e curvou-se de novo para retirar do interior um pacote malfeito que continha obviamente um quadro. Sobraçando-o da melhor forma que pôde, entrou na New Athenian Galleries, uma das mais tradicionais e importantes galerias de pintura em Londres.

Tommy não era um grande comprador de quadros, porém viera à New Athenian porque um amigo oficiava ali.

"Oficiava" era bem o termo, devido ao seu ar de interesse solícito, a voz abafada, o sorriso conciliatório, tudo extremamente eclesiástico.

Um rapaz louro abandonou o que estava fazendo e aproximou-se, iluminado por um sorriso de reconhecimento.

— Olá, Tommy — disse. — Há quanto tempo não nos vemos. O que é isso que você traz debaixo do braço? Não me diga que resolveu dedicar-se à pintura depois de velho! Muita gente inventa de fazer o mesmo... com resultados geralmente deploráveis.

— Duvido que a pintura criativa alguma vez tenha sido o meu forte — retrucou Tommy. — Embora deva confessar que ainda outro dia me senti fortemente atraído por um livrinho que ensinava, nos termos mais simples, como uma criança de cinco anos podia pintar à aquarela.

— Deus nos livre que você comece isso. Vovó Moses ao inverso.

— Para ser franco, Robert, queria apenas consultar sua opinião de técnico em pintura. Diga o que acha disto.

Robert tomou jeitosamente o quadro das mãos de Tommy e desembrulhou com perícia o pacote malfeito, revelando a habilidade de um homem acostumado a lidar com qualquer tipo de embalagem de obras de arte dos tamanhos mais diversos. Retirou o quadro e colocou-o numa cadeira, curvando-se para examiná-lo bem, e depois recuou cinco ou seis passos. Olhou para Tommy.

— Então? — perguntou. — Qual é o problema? O que é que você quer saber? Pretende vendê-lo, por acaso?

— Não — respondeu Tommy. — Não pretendo, não, Robert. Quero apenas uma informação. Para começar, quem é o pintor?

— Pois olhe, se *quiser* vendê-lo, a ocasião não podia ser melhor. Há dez anos seria diferente. Mas hoje a pintura de Boscowan está de novo na moda.

— Boscowan? — Tommy fez um ar interrogativo. — É esse o nome dele? Notei que a assinatura começava por B, mas não consegui decifrar.

— Ah, nem há dúvida de que é dele. Teve grande voga há cerca de 25 anos. Vendia bem, fez uma porção de exposições. E todo mundo comprava. Tecnicamente, tinha um estilo perfeito. Depois, como sempre acontece, a febre passou, e mal conseguia vender um quadro. Ultimamente, porém, recuperou a popularidade. Ele, Stichwort e Fondella. Estão todos voltando.

— Boscowan — repetiu Tommy.

— B-o-s-c-o-w-a-n — escandiu Robert, prestativo.

— Continua pintando?

— Não. Morreu. Faz alguns anos. Já era bem velho. Creio que devia ter uns 65 quando faleceu. Muito prolífico, sabe? Deixou uma infinidade de telas. Para dizer a verdade, estamos pensando em organizar uma mostra da obra dele aqui na loja dentro de uns quatro ou cinco meses. Acho que será um bom negócio. Por que todo esse interesse por ele?

— Seria uma história muito longa para contar — respondeu Tommy. — Qualquer dia destes eu convido você para almoçar e esclareço tudo desde o início. É muito comprida, complicada e realmente bastante asnática. Eu só queria saber quem era esse Boscowan e se por acaso não podia me informar onde fica a casa deste quadro.

— Quanto a isso, não tenho a menor ideia. É o tipo de coisa que ele gostava de pintar, sabe? Pequenas casas rurais, geralmente situadas em locais solitários, às vezes uma granja, outras com um par de vacas por perto. Se incluía alguma carroça, via-se apenas de longe. Calmas cenas bucólicas. Nada de esboços ou borrões. Em certas ocasiões a superfície do quadro parece quase de esmalte. Era uma técnica *sui generis*, muito apreciada. Grande parte dos temas que pintou foram feitos na França, a maioria na Normandia. Existe uma tela dele atualmente aqui na galeria. Espere um instante que eu busco.

Chegou à beira da escada e chamou alguém lá embaixo. Não demorou muito, voltou com um pequeno quadro na mão e colocou em cima de outra cadeira.

— Pronto, cá está — disse. — Igreja na Normandia.

— Sim — concordou Tommy —, percebo. O mesmo tipo de coisa. Minha mulher diz que ninguém jamais morou naquela casa... a do quadro que eu trouxe. Agora entendo ao que ela se referia. Duvido que alguém tivesse assistido ou venha a assistir à missa nessa igreja.

— É, provavelmente tem razão. Moradas tranquilas, pacíficas, sem nenhum morador. Ele quase não pintava gente, sabe? Às vezes surge uma ou outra figura na paisagem, mas é muito raro. De certo modo, acho que lhes dá um encanto especial. Uma espécie de sensação de isolamento. Era como se ele removesse todos os seres humanos e a paz dos campos ficasse muito melhor sem eles. Pensando bem, talvez seja por isso que o gosto do público se inclinasse de novo por ele. Hoje em dia há gente demais, carros, barulho nas ruas, um excesso de ruídos e agitação. Paz. Uma paz inalterável. Tudo entregue à natureza.

— Sim, não me admiro. Que tipo de homem foi ele?

— Não o conheci pessoalmente. Não é do meu tempo. Presumido, segundo dizem. No mínimo se julgava melhor pintor do que de fato era. O protótipo do *garganta*. Afável, bastante simpático. Mulherengo.

— E não faz nenhuma ideia de onde fica esta região? Porque é na Inglaterra, suponho.

— Sim, creio que é. Quer que eu descubra para você?

— Acha possível?

— Provavelmente a melhor coisa a fazer seria perguntar à mulher dele, isto é, à viúva. Era casado com Emma Wing, a escultora. Famosa. Não muito produtiva. Tem uma obra realmente vigorosa. Você poderia procurá-la. Mora em Hampstead. Se quiser, dou-lhe o endereço. Trocamos bastante correspondência ultimamente a respeito dessa exposição dos trabalhos do marido que está programada. Vamos aproveitar para incluir algumas peças menores de suas esculturas. Vou buscar o endereço para você.

Foi à escrivaninha, folheou um livro-razão, rabiscou qualquer coisa num cartão e o trouxe de volta.

— Pronto, Tommy — disse. — Não sei que mistério insondável é esse. Você sempre foi dado a enigmas, não? Tem aí um belo exemplar da obra do homem. Talvez pudéssemos usá-lo na exposição. Quando chegar perto da data eu lhe escrevo, para lembrar.

— Não conhece uma tal de sra. Lancaster, por acaso?

— Olhe, assim de momento, creio que não. É pintora ou troço parecido?

— Não me consta que seja. É apenas uma senhora idosa vivendo seus derradeiros anos num asilo de velhice. Ela entra na história porque este quadro lhe pertencia antes de dá-lo de presente a uma tia minha.

— Pois não posso dizer que o nome signifique alguma coisa para mim. É melhor você falar com a sra. Boscowan.

— Como é ela?

— Era um bocado mais moça que o marido, acho. Uma personalidade e tanto. — Sacudiu a cabeça umas duas vezes. — Sim, uma personalidade e tanto. Como no mínimo você verá.

Pegou o quadro e entregou-o do alto da escada, pedindo a alguém no térreo para embrulhá-lo de novo.

— Que bom para você, ter tantos lacaios à sua disposição — ironizou Tommy.

Olhou ao redor, reparando pela primeira vez no ambiente.

— Que negócio é aquele pendurado ali? — perguntou com repugnância.

— Paul Jaggerowski... Um jovem eslavo interessante. Consta que produz todas as suas obras sob a influência de drogas... Não gosta?

Tommy concentrou o olhar numa grande sacola de corda que parecia ter se emaranhado num campo verde metálico cheio de vacas deformadas.

— Francamente, não.

— Filisteu — retrucou Robert. — Venha, vamos almoçar juntos.

— Não posso. Marquei encontro com um médico no clube.

— Você não está doente, está?

— Estou ótimo. Minha pressão é tão boa que decepciona cada doutor que eu consulto.

— Então por que precisa falar com ele?

— Ora — disse Tommy alegremente. — É só por causa de um cadáver. Obrigado pelo auxílio. Até a vista.

II

Tommy cumprimentou o dr. Murray com certa curiosidade... Presumia que se tratasse de alguma formalidade relacionada com a morte de tia Ada, mas não conseguia imaginar por que diabo o médico não queria nem sequer tocar no assunto pelo telefone.

— Desculpe o atraso — disse o dr. Murray, apertando-lhe a mão —, mas o trânsito estava bem feio, e eu não tinha muita certeza da localização. Não conheço bem esta parte de Londres.

— Pois é uma pena que tivesse de vir até aqui — replicou Tommy. — Podíamos ter marcado encontro num ponto mais conveniente.

— Quer dizer, então, que de momento está disponível?

— De momento, sim. Estive ausente na semana passada.

—Ah, é, creio que alguém me disse quando liguei para a sua casa.

Tommy indicou uma poltrona, sugeriu um drinque e colocou cigarros e fósforos ao lado do dr. Murray. Depois que ambos se instalaram à vontade, o médico começou a falar:

—Tenho certeza de que lhe despertei a curiosidade, mas, para ser franco, houve um transtorno em Sunny Ridge. Trata-se de um problema difícil e intrincado, que, por um lado, nada tem a ver com o senhor. Não possuo o mínimo direito de aborrecê-lo com isso, porém há uma leve probabilidade de que talvez saiba alguma coisa que possa me ajudar.

— Bem, claro que farei tudo o que estiver a meu alcance. Trata-se de algo relacionado com minha tia, a srta. Fanshawe?

— Não de modo direto. No entanto, de certa forma, diz respeito também a ela. Posso falar-lhe confidencialmente, não posso, sr. Beresford?

— Naturalmente que sim.

— Para dizer a verdade, outro dia estive conversando com um amigo comum, e ele me contou algumas coisas a seu respeito. Soube que durante a última guerra teve uma missão bastante melindrosa.

— Eu não diria que fosse tão séria assim — retrucou Tommy, da maneira mais neutra possível.

— Oh, não, compreendo perfeitamente que é uma coisa que não se pode comentar.

—Acho que hoje de fato não tem mais importância. A guerra aconteceu há muito tempo. Minha esposa e eu éramos jovens na época.

— Em todo caso, nada tem a ver com o motivo por que quero falar-lhe. Mas assim ao menos sinto que posso fazê-lo com franqueza, confiante de que não repetirá o que lhe estou dizendo, embora seja possível que mais tarde tudo venha a público.

— Houve um transtorno em Sunny Ridge, pelo que entendi?

— Sim. Há pouco tempo, uma de nossas pacientes faleceu. Uma tal de sra. Moody. Não sei se chegou a conhecê-la ou se sua tia alguma vez a mencionou.

— Sra. Moody? — Tommy refletiu. — Não, tenho a impressão de que não. Seja como for, não lembro.

— Não era das mais velhas. Tinha pouco mais de setenta e não sofria de nenhuma espécie de moléstia grave. Tratava-se apenas de uma mulher sem parentes próximos, que não dispunha de ninguém para cuidar dela na vida doméstica. Pertencia à categoria que eu chamo de irriquieta. Criaturas que, à medida que envelhecem, ficam cada vez mais parecidas com galinhas. Cacarejam. Esquecem coisas. Arrumam dificuldades e depois se preocupam. Atrapalham-se todas sem o menor motivo. Não há praticamente nada de errado com elas. Rigorosamente falando, não sofrem de distúrbios mentais.

— Porém não param de cacarejar — sugeriu Tommy.

— Justamente. A sra. Moody era assim. Provocava grande confusão entre as enfermeiras, apesar de simpatizarem com ela. Tinha o hábito de esquecer que já havia comido, fazendo um estardalhaço por não ter recebido a refeição quando, na verdade, acabara realmente de devorar um lauto jantar.

— Ah — exclamou Tommy, lembrando. — Dona Chocolate.

— Como disse?

— Desculpe — pediu Tommy —, é o apelido que minha mulher e eu lhe tínhamos dado. Um dia, quando passamos pelo corredor, ela saiu aos berros, chamando a enfermeira Jane para reclamar que não havia ganhado seu chocolate. Uma mulherzinha desmiolada muito simpática. Caímos na risada e pegamos o costume de chamá-la de Dona Chocolate. Quer dizer, então, que morreu?

— Não fiquei especialmente surpreso com seu falecimento — prosseguiu o dr. Murray. — É praticamente impossível profetizar com exatidão a época em que uma idosa há de morrer. Algumas, cuja saúde se encontra seriamente afetada e que após o resultado de um exame físico a gente acha que mal resistirão até o fim do ano, duram às vezes mais de dez. Agarram-se à vida com tal empenho que uma simples deficiência física não é capaz de derrotá-las. Em compensação, há outras, de saúde relativamente boa e que dão a impressão de que se transformarão em macróbias: de repente, pegam uma bronquite, ou gripe, demonstram falta da histamina indispensável ao pronto restabelecimento, e morrem com espantosa facilidade. Portanto, como eu estava dizendo, na qualidade de médico de um asilo de idosas, não fico surpreso quando ocorre o que se pode denominar de uma morte mais ou menos imprevista. No caso da sra. Moody, contudo, foi um pouco diferente. Faleceu durante o sono sem ter acusado nenhum sintoma de moléstia, e não tive outro remédio senão considerar sua morte como inesperada. Empregarei a frase que sempre me intrigou em *Macbeth*, de Shakespeare. Só queria o que ele quis dizer ao se referir à esposa: "Ela devia ter morrido mais adiante."

— De fato, lembro-me de que também fiquei pensando na intenção de Shakespeare — concordou Tommy. — Eu me esqueci de quem era a encenação e qual ator interpretava Macbeth, mas havia uma forte sugestão na montagem, e Macbeth certamente fazia tudo para dar a impressão de que estava insinuando ao médico que Lady Macbeth precisava ser eliminada. É de presumir que o médico tenha compreendido. Foi então que Macbeth, sentindo-se seguro após a morte da esposa, sabendo que ela não poderia mais prejudicá-lo com suas indiscrições ou seu cérebro rapidamente em declínio, exprime autêntica afeição e pesar. "Ela devia ter morrido mais adiante."

— Exatamente — retrucou o dr. Murray. — Foi assim que me senti em relação à sra. Moody. Achei que devia ter morrido mais tarde. Não três semanas atrás, sem motivo aparente...

Tommy não respondeu. Contentou-se em fitar o médico com um olhar de expectativa.

— A nossa profissão oferece certos problemas. Quando se fica perplexo com a *causa mortis* de um paciente, só existe uma maneira de checar. Através da autópsia. Os parentes da pessoa falecida não gostam, mas, se um médico exige e o resultado for, como pode perfeitamente acontecer, um caso de morte natural ou de alguma doença ou mal que nem sempre apresentam sinais externos ou sintomas, então a sua carreira profissional se expõe a ficar seriamente comprometida por ter emitido um diagnóstico duvidoso...

— Percebo que há de ter sido delicado.

— Os parentes em questão são primos distantes. Por isso me encarreguei de obter o consentimento deles, uma vez que apurar a causa da morte constituía matéria de interesse científico. Se um paciente sucumbe durante o sono, é aconselhável aumentar os conhecimentos médicos da gente. Dissimulei um pouco, note-se, não tornei a coisa demasiado formal. Felizmente nem se importaram. Fiquei com o espírito bem aliviado. Quando, após a autópsia, encontrasse tudo em ordem, podia dar um atestado de óbito sem o menor receio. Qualquer pessoa é capaz de morrer do que se denomina vulgarmente colapso cardíaco, cujas causas podem ser as mais diversas. Para falar a verdade, o coração da sra. Moody estava de fato em condições excelentes para a idade que tinha. Sofria de artrite e reumatismo, além de distúrbios ocasionais do fígado, porém nenhuma dessas coisas parecia responsável pelo seu falecimento durante o sono.

O dr. Murray fez uma pausa. Tommy abriu a boca e tornou a fechá-la. O médico sacudiu a cabeça.

— Sim, sr. Beresford. Vejo que entendeu aonde pretendo chegar. A morte fora consequência de uma dose excessiva de morfina.

— Santo Deus!

A exclamação lhe escapou, enquanto os olhos se arregalavam.

— É. Parece incrível, mas a análise provou de maneira irrefutável. Surgiu a dúvida: como teria sido administrada? Ela não tomava morfina. Não era uma paciente que sofresse de dores.

Restavam três explicações, evidentemente. Talvez tivesse tomado por acaso. É implausível. Podia também ter se apossado, por engano, do remédio destinado a outra doente, porém essa hipótese é inverossímil. Ninguém deixa um estoque de morfina nas mãos de um paciente, e o asilo não admite pessoas viciadas que possam dispor de um abastecimento de uma coisa dessas em seu poder. Caso se tratasse de um suicídio premeditado, eu me surpreenderia bastante. A sra. Moody, embora se preocupasse à toa com ninharias, gozava de uma disposição perfeitamente alegre, e estou certo de que nunca pensou em terminar com a própria vida. A terceira explicação é que a dose fatal lhe fosse administrada de modo proposital. Mas por quem, e por quê? Naturalmente que a srta. Packard, em sua qualidade de enfermeira hospitalar diplomada e superintendente, está perfeitamente autorizada a ter estoques de morfina e outros entorpecentes em seu poder e os guarda num armário, trancados a chave. Em tais casos como ciática e artrite reumática, pode ocorrer uma dor tão aguda e desesperada que de vez em quando torna-se indispensável o uso da droga. Tínhamos esperança de descobrir alguma circunstância em que a sra. Moody pudesse ter recebido uma quantidade perigosa de morfina por engano ou que ela própria tivesse tomado, na ilusão de que curasse indigestão ou insônia. Porém não logramos apurar a menor possibilidade. Decidimos, então, por sugestão da srta. Packard e concordância minha, examinar cuidadosamente o registro de mortes em situações semelhantes que ocorreram em Sunny Ridge durante os últimos dois anos. Ainda bem que foram raras. Ao todo, creio que sete, o que representa uma média razoável para as pessoas pertencentes a esse grupo de idade. Dois casos de bronquite, absolutamente normais, dois de gripe, quase sempre fatais nos meses de inverno, em virtude da pouca resistência oferecida por mulheres frágeis e idosas. E mais três.

Hesitou alguns segundos e depois continuou:

— Sr. Beresford, não me sinto satisfeito a respeito desses últimos, pelo menos decididamente em relação a dois óbitos. Eram perfeitamente prováveis, nada imprevistos, porém eu me atreveria a afirmar que são *implausíveis*. Não se trata de casos que, examinados em retrospecto, à luz da reflexão e pesquisa, me deixem inteiramente convencido. Por incrível que pareça, é preciso aceitar a possibilidade de que existe alguém em Sunny Ridge que é, talvez por motivos mentais, um assassino. Um criminoso de quem ninguém desconfia.

Fez-se silêncio durante certo momento. Tommy suspirou.

— Não duvido do que me contou — disse —, mas, mesmo assim, francamente, parece inacreditável. Essas coisas... certamente não podem acontecer.

— Nisso o senhor se engana — retrucou, implacável, o dr. Murray —, acontecem, sim. Tomemos, por exemplo, certos casos patológicos. Uma mulher que fazia serviço doméstico. Trabalhou como cozinheira em diversas casas de família. Era simpática, bondosa, aparentemente agradável, fiel aos patrões, cozinhando bem, gostando de estar em sua companhia. No entanto, cedo ou tarde, aconteciam coisas. Em geral, um prato de sanduíches. Às vezes, farnéis de piquenique. Sem o mínimo motivo, continham arsênico. Numa pilha de sanduíches, apenas dois ou três estavam envenenados. Pelo visto, somente o acaso determinava quem os comeria. Parecia não existir maldade pessoal. De vez em quando, evitava-se a tragédia. A mesma mulher ficava três ou quatro meses num emprego, sem que se registrasse o menor vestígio de doença. Nada. De repente mudava de casa e, num prazo de três semanas, dois membros da família morriam depois de comer *bacon* no café da manhã. O fato de que todas essas coisas sucedessem em diferentes regiões da Inglaterra e a intervalos regulares fez com que a polícia demorasse algum tempo para seguir a pista. Claro que ela sempre trocava de nome. Mas há tantas mulheres de meia-idade simpáticas, eficientes e que sabem cozinhar que foi difícil encontrar a que estavam procurando.

— Por que ela fazia isso?

— Não creio que alguém tenha realmente descoberto. Houve várias teorias contraditórias, sobretudo de psicólogos, é óbvio.

Era uma espécie de fanática religiosa, e é provável que determinada forma de loucura mística lhe desse a sensação de que possuía uma missão divina para livrar o mundo de certas pessoas, pois não consta que lhes devotasse qualquer animosidade especial. Depois surgiu também aquela francesa, Jeanne Gebron, que se intitulava o Anjo da Piedade. Ficava tão preocupada quando adoecia o filho de algum vizinho que corria para cuidar da criança. Zelava noite e dia à cabeceira. Nesse caso também levou certo tempo até descobrirem que os objetos de sua solicitude *nunca se restabeleciam. Em vez disso, todos morriam.* De novo, *por quê?* É verdade que perdera o próprio filho quando moça. A desgraça a deixou prostrada de dor. Talvez fosse a causa de sua carreira criminosa. Se o filho *dela* tinha morrido, todos os outros também deviam morrer. Ou, conforme alguns pensaram, talvez o próprio filho também tivesse sido uma das vítimas.

— Estou sentindo um calafrio na espinha — disse Tommy.

— Citei os exemplos mais melodramáticos — retrucou o médico. — Pode tratar-se de algo bem mais simples. Lembra-se do caso Armstrong? Qualquer pessoa que o ofendesse ou insultasse, às vezes bastava ele *pensar* que tivesse sido insultado, era logo convidada a tomar chá com sanduíches de arsênico. Uma espécie de suscetibilidade em último grau. Seus primeiros crimes foram obviamente meros homicídios para obter vantagens pessoais. Heranças. A eliminação da esposa para se casar com outra. Houve também o caso da enfermeira Warriner, que mantinha um asilo. Todos lhe confiavam os bens que possuíam em troca da garantia de uma velhice confortável pelo resto da vida... que nunca era muito longa. Aplicava-lhes morfina também... uma mulher incrivelmente bondosa, mas totalmente destituída de escrúpulos... creio que se considerava uma benfeitora.

— Se sua suposição sobre essas mortes é válida, não tem nenhuma ideia de quem possa ser?

— Não. Parece não haver indicação de espécie alguma. Admitindo-se a hipótese de que o assassino sofra provavelmente das faculdades mentais, a loucura é uma coisa muito difícil de reconhecer em determinadas manifestações. Será alguém, digamos, que detesta gente velha, que teve a vida prejudicada ou arruinada, segundo acredita, por alguma pessoa idosa? Ou se trata, talvez, de alguém que tem uma concepção própria da eutanásia e acha que todo mundo com mais de sessenta anos deve ser exterminado sem dor? Podia ser qualquer um, naturalmente. Uma paciente? Ou um membro da equipe... uma enfermeira ou uma empregada doméstica? Discuti o assunto longamente com Millicent Packard, a administradora do estabelecimento. É uma mulher muito competente, sagaz, prática, com absoluto controle tanto das hóspedes quanto das subalternas. Ela insiste que não possui a menor suspeita ou indício de qualquer espécie, e eu tenho certeza de que é a mais pura verdade.

— Mas por que me procurou? O que posso fazer?

— Sua tia, a srta. Fanshfawe, morou lá alguns anos... era uma criatura de apreciável inteligência, embora muitas vezes fingisse ser o contrário. Dispunha de recursos nada convencionais para se divertir, adotando ares senis. Quando na realidade tinha a cabeça bem no lugar... O que eu gostaria que o senhor fizesse, sr. Beresford, é procurar lembrar-se com exatidão... e sua esposa também... Existe algo que se recorde de ter ouvido a srta. Fanshawe comentar ou insinuar, que nos fornecesse uma pista?... Algo que ela tivesse visto ou notado, que alguém lhe contasse e que julgasse esquisito? As velhas enxergam e reparam numa série de coisas, e uma pessoa realmente perspicaz que nem a srta. Fanshawe deveria estar a par de tudo que se passasse num lugar como Sunny Ridge. Vivem desocupadas, compreende? Com todo o tempo disponível para olhar em torno e tirar deduções... e até conclusões precipitadas... que podem parecer fantásticas, mas às vezes resultam assombrosa e completamente acertadas.

Tommy sacudiu a cabeça.

— Sei o que quer dizer... Porém não me recordo de nada desse gênero.

— Soube que sua esposa está viajando. Não julga que ela talvez se lembre de algo que não lhe tenha chamado a atenção?

— Posso perguntar... mas duvido. — Hesitou, depois se decidiu. — Escute aqui, havia uma coisa que intrigava minha mulher... a respeito de uma das velhas, uma tal de sra. Lancaster.

— Sra. Lancaster? Sim?

— Minha esposa enfiou na cabeça que a sra. Lancaster tinha sido retirada do asilo por alguns supostos parentes de modo brusco demais. Para dizer a verdade, a sra. Lancaster deu um quadro de presente à minha tia, e minha mulher achou que devia se oferecer para devolvê-lo e então tentou entrar em contato com ela, para saber se não gostaria de recebê-lo de volta.

— Bem, não resta dúvida de que foi uma atitude muito correta da parte da sra. Beresford.

— Acontece, porém, que não houve meios de localizá-la. Conseguiu-se o endereço do hotel onde constava que teriam se hospedado... a sra. Lancaster e os parentes... mas ninguém com esse nome estivera lá nem sequer fizera reserva de quartos.

— É mesmo? Que estranho.

— Sim. Tuppence também achou. Em Sunny Ridge não deixaram nenhum outro endereço. De fato, fizemos inúmeras tentativas para entrar em contato com a sra. Lancaster ou com a tal... sra. Johnson, creio que se chamava assim... sem obter qualquer resultado. Havia um procurador que, segundo creio, pagava todas as contas... e tomou as providências necessárias com a srta. Packard. Nós o procuramos. A única coisa que pôde fazer foi me dar o endereço de um banco. E os bancos — acrescentou Tommy friamente — não fornecem informação de espécie alguma.

— Especialmente se os clientes dão instruções específicas nesse sentido. Tem razão.

— Minha mulher escreveu à sra. Lancaster por intermédio do banco, e à sra. Johnson também. Porém nunca recebeu resposta.

— Isso parece um pouco fora do comum. Contudo, as pessoas nem sempre respondem as cartas que recebem. Talvez tenham viajado para o exterior.

— Exatamente... por isso não me preocupei. Mas com minha mulher foi diferente. Parece convicta de que aconteceu alguma coisa com a sra. Lancaster. Para ser franco, durante o tempo em que estive fora de casa, ela disse que ia investigar mais... não sei precisamente o que queria insinuar com isso. Talvez ir em pessoa ao hotel, ou ao banco, ou mesmo ao procurador. Seja como for, disse que pretendia tentar obter maiores informações.

O dr. Murray, embora acompanhasse a conversa cortesmente, denotava traços de um tédio paciente no comportamento.

— Em resumo, o que é que ela julgava...?

— Que a sra. Lancaster estivesse correndo um risco qualquer... inclusive que alguma coisa já podia ter lhe acontecido.

O médico arqueou as sobrancelhas.

— Ora, francamente, nem sou capaz de imaginar que...

— Talvez tudo lhe pareça uma perfeita idiotice — prosseguiu Tommy —, no entanto minha esposa telefonou avisando que voltaria ontem à noite... e... *não voltou.*

— Ela disse expressamente que *pretendia* voltar?

— Disse. Sabia que eu ia chegar, entende, de uma conferência a que tive de comparecer. De modo que ligou para o nosso empregado, Albert, prevenindo que estaria em casa à hora do jantar.

— E isso lhe parece uma atitude incomum nela? — perguntou Murray, fitando Tommy com certo interesse.

— Sim — respondeu. — Não parece coisa de Tuppence. Se fosse chegar tarde ou mudasse de plano, telefonaria novamente ou mandaria um telegrama.

— E está preocupado com ela?

— Estou, sim — afirmou.

— Hum! Procurou a polícia?

— Não. Que haviam de pensar? Não que eu tenha motivo para acreditar que ela esteja metida numa enrascada, num perigo ou em qualquer coisa do gênero. Quero dizer, se tivesse sofrido um acidente ou estivesse num hospital, fosse como fosse, alguém me notificaria logo, não é mesmo?

—Também me parece... sim... se levasse junto algum meio de identificação.

—Tinha a carteira de motorista. E provavelmente cartas e várias outras coisas.

O dr. Murray franziu a testa.

Tommy continuou logo:

— E agora o senhor me aparece... com esse negócio sobre Sunny Ridge... Pessoas que morreram quando não deviam. Suponhamos que a velhota houvesse descoberto algo... visto alguma coisa, ou desconfiado... e se pusesse a falar para todo mundo... Teria de ser silenciada de qualquer maneira, e por isso a levaram logo embora para onde não pudesse ser encontrada. É inevitável imaginar que tudo faz parte da mesma trama...

— É esquisito... não há a menor sombra de dúvida... Que tenciona fazer agora?

—Vou também começar a investigar por conta própria... Em primeiro lugar, falar com os tais procuradores... Talvez não sejam nada suspeitos, mas em todo caso gostaria de dar uma olhada e tirar minhas próprias conclusões.

12

Tommy encontra um velho amigo

PARADO NA calçada oposta, Tommy examinou o prédio do escritório de Partingdale, Harris, Lockeridge & Partingdale.

Parecia uma firma eminentemente respeitável e antiquada. A placa de metal estava bem gasta, mas com um brilho impecável.

Atravessou a rua e cruzou as portas giratórias para ser saudado pelo ruído abafado de máquinas datilográficas a toda a velocidade.

Dirigiu-se a um guichê aberto na parede de mogno à direita, onde se lia o aviso INFORMAÇÕES.

Dentro havia uma pequena sala. Três funcionárias batiam à máquina, e dois escriturários estavam debruçados sobre suas escrivaninhas, copiando documentos.

A atmosfera era sufocante e cediça, com cheiro positivamente jurídico.

Uma mulher com cerca de 35 anos, de ar austero, cabelo louro desbotado e pincenê, levantou-se da máquina e aproximou-se do guichê.

— Deseja alguma coisa?

— Eu queria falar com o sr. Eccles.

Seu ar de severidade aumentou.

— Tem hora marcada?

— Receio que não. Vim a Londres apenas por um dia. Estou de passagem.

— Acho que o sr. Eccles anda muito ocupado esta manhã. Quem sabe outro membro da firma...

— Eu desejava falar com o sr. Eccles mesmo. Já me correspondi algumas vezes com ele.

— Ah, sei. Qual é o seu nome, por favor?

Tommy disse quem era, deu o endereço, e a loura retirou-se para confabular pelo telefone da escrivaninha. Depois de uma série de murmúrios, voltou.

— O rapaz vai lhe mostrar onde fica a sala de espera. O sr. Eccles o receberá daqui a uns dez minutos.

Tommy foi conduzido a uma sala de espera onde havia uma estante de volumes jurídicos bastante antigos e de aspecto maciço, e uma mesa redonda, repleta de vários jornais financeiros. Sentou-se e recapitulou mentalmente o plano que traçara para abordar o assunto. Imaginou como seria o sr. Eccles. Quando se viu finalmente diante do procurador, que se levantou de uma escrivaninha para recebê-lo, notou logo que, embora não dispusesse de nenhum motivo especial nesse sentido, positivamente não simpatizava com o tal sr. Eccles. Bem que gostaria de saber por quê. Aquela súbita antipatia não podia ser mais gratuita. Era um homem que oscilava entre os quarenta e os cinquenta anos, de cabelo grisalho um pouco ralo nas têmporas. Possuía um rosto comprido, de aspecto um tanto melancólico, com uma expressão particularmente rígida, olhos argutos e um sorriso até simpático que de vez em quando, de modo inesperado, quebrava a tristeza natural do semblante.

— Sr. Beresford?

— Sim. Realmente trata-se de uma questão insignificante, mas que tem deixado minha senhora inquieta. Creio que ela lhe escreveu ou provavelmente telefonou, para saber se poderia dar-lhe o endereço de uma certa sra. Lancaster.

— Sra. Lancaster — repetiu o sr. Eccles, mantendo uma expressão impassível. Não chegava a ser uma pergunta. Apenas deixou o nome pairando no ar.

"Sujeito prudente", pensou Tommy, "mas afinal isso constitui uma segunda natureza em advogados. De fato, quem não prefere os serviços de um profissional cauteloso?".

— Até recentemente — prosseguiu —, ela morava num lugar chamado Sunny Ridge, um estabelecimento... muito bom, por sinal... para idosas. Na realidade, uma tia minha esteve lá, sentindo-se extremamente contente e a gosto.

— Ah, sim, sim. Agora me lembro. Sra. Lancaster. Segundo parece, não mora mais lá, não?

— Isso mesmo — confirmou Tommy.

— De momento não me recordo com exatidão... — estendeu a mão para o telefone — vou só refrescar a memória...

— Posso explicar-lhe em poucas palavras — disse Tommy. — Minha esposa precisava do endereço porque acontece que ela tomou posse de um objeto que antes pertencia a essa senhora. Um quadro, para ser mais preciso. A sra. Lancaster o deu de presente à minha tia, a srta. Fanshawe, que morreu faz pouco tempo, tendo seus parcos bens passados às nossas mãos. Inclusive a pintura dada pela sra. Lancaster. Embora minha mulher a aprecie muito, sente uma espécie de complexo de culpa por ter ficado com ela. Pensa que talvez seja um quadro ao qual a sra. Lancaster empreste grande valor, e nesse caso acha que devia oferecer-se para devolvê-lo à ex-dona.

— Ah, compreendo — disse o sr. Eccles. — Não há dúvida, sua esposa é muito conscienciosa.

— Nunca se sabe — continuou Tommy, sorrindo cordialmente —, a opinião que as pessoas de idade podem ter a respeito de seus bens. Quem sabe ela sentisse prazer em presentear minha tia movida pela admiração testemunhada pelo quadro, mas como minha tia morreu logo após o recebimento da dádiva, parece, talvez, um pouco injusto que passasse a mãos de estranhos. A pintura não tem nenhum título especial. Mostra uma casa num ponto qualquer do interior do país. Pode muito bem ser alguma residência de família relacionada com a sra. Lancaster.

— Perfeitamente, de acordo — declarou o sr. Eccles —, porém não creio...

Alguém bateu e a porta se abriu, dando passagem a um empregado que entregou uma folha de papel ao sr. Eccles. O advogado examinou-a.

— Ah, sim, de fato, agora me lembro. É, creio que a... — olhou de relance para o cartão de Tommy em cima da escrivaninha — sra. Beresford ligou para cá e trocou algumas palavras comigo. Aconselhei-a a entrar em contato com o Southern Counties Bank, agência Hammersmith. É o único endereço que possuo. Toda correspondência dirigida ao banco, aos cuidados da sra. Richard Johnson, será entregue à destinatária. A meu ver, a sra. Johnson é sobrinha ou prima afastada da sra. Lancaster e foi ela quem tomou as providências indispensáveis comigo para a entrada da sra. Lancaster em Sunny Ridge. Pediu-me para recolher todas as informações a respeito do estabelecimento, pois só dispunha de dados superficiais, fornecidos por uma amiga. Foi o que fizemos, posso assegurar-lhe, com o maior cuidado. Resultou que se tratava de uma instituição de primeira ordem e, segundo me parece, a parenta da sra. Johnson, a sra. Lancaster, passou lá vários anos perfeitamente satisfeita.

— No entanto partiu um tanto abruptamente — insinuou Tommy.

— É. De fato, creio que sim. A sra. Johnson, pelo visto, regressou há pouco tempo de maneira bastante imprevista da África Oriental... como muita gente, aliás! Consta que residiu vários anos no Quênia com o marido. Estavam tomando uma série de novos preparativos e julgaram-se aptos a cuidar pessoalmente da parenta mais velha. Receio não ter a menor ideia do paradeiro atual da sra. Johnson. Recebi carta dela, agradecendo e liquidando contas que tinham ficado abertas, e dizendo que, se houvesse qualquer necessidade de me comunicar com ela, deveria remeter a correspondência aos cuidados do banco, pois ainda não decidira onde residiria com o marido. Lamento, sr. Beresford, mas é só o que lhe posso informar.

Sua maneira era delicada, porém firme. Não demonstrava nenhuma espécie de constrangimento ou nervosismo. A determinação da voz, porém, estava bem definida. Depois se distendeu e seus modos se atenuaram um pouco.

— Escute, sr. Beresford, não vejo motivo para preocupações — afirmou, num tom tranquilizador. — Ou melhor, não há motivo para a sua esposa se preocupar. A sra. Lancaster, creio, é uma pessoa bastante idosa e propensa a esquecimentos. Provavelmente nem se lembra mais do quadro que deu. Segundo penso, deve andar aí pelos setenta e cinco ou setenta e seis anos. E, nessa idade, como o senhor sabe, a gente esquece com facilidade.

— Conheceu-a pessoalmente?

— Não, para ser franco, nunca a vi.

— E a sra. Johnson?

— Encontrei-a quando vinha aqui ocasionalmente, a fim de me consultar sobre os preparativos. Parecia uma mulher agradável, prática. Muito competente nas providências que estava tomando. — Ergueu-se e disse: — Sinto imensamente por não poder auxiliá-lo, sr. Beresford.

De maneira cortês, mas decidida, indicava o fim da entrevista.

Tommy saiu do prédio e procurou um táxi em ambas as direções da Bloomsbury Street. O embrulho que carregava, embora não fosse pesado, tinha um tamanho relativamente incômodo. Contemplou um instante a casa de onde saíra. Eminentemente respeitável, fundada há longa data. Nada que se pudesse objetar, nada aparentemente errado em relação à firma Partingdale, Harris, Lockeridge & Partingdale, nada errado com o sr. Eccles, nenhum sinal de apreensão ou abatimento, nenhuma hesitação ou desassossego. Num romance, pensou Tommy de mau humor, qualquer referência à sra. Lancaster ou à sra. Johnson provocaria um sobressalto culpado ou um olhar solerte. Algo que revelasse que aqueles nomes tinham um significado especial, que nem tudo corria tão bem assim. Pelo jeito, não era desse modo que as coisas aconteciam na vida real. O máximo que o sr. Eccles deixara transparecer é que era um cavalheiro muito educado para se exasperar com o tempo desperdiçado numa consulta como a que Tommy acabava de lhe fazer.

"Mas, em todo caso", pensou consigo mesmo, "não simpatizei com ele". Recordou-se de vagas lembranças, de certas pessoas de que, por um motivo qualquer, não gostara. Na maioria das vezes esses pressentimentos — pois não se tratava de outra coisa — tinham sido proféticos. Porém talvez fosse mais banal do que parecia. Depois de passar muito tempo com uma série de personalidades, desenvolve-se uma espécie de sexto sentido, tal como um negociante com prática de antiguidades reconhece instintivamente o gosto, o aspecto e o tato de uma falsificação antes de passar aos testes e exames de perícia. Há alguma coisa simplesmente *errada*. O mesmo acontece com quadros. E também, provavelmente, com os caixas de um banco ao receberem uma cédula falsa de primeira categoria.

— Ele diz as coisas certas — refletiu Tommy. — Tem uma aparência acima de suspeitas, exprime-se com a maior correção, e no entanto... — Acenou freneticamente para um táxi, cujo motorista olhou friamente na sua direção, aumentou a velocidade e seguiu adiante. — Cretino — resmungou.

Percorreu a rua de cima a baixo com a vista, em busca de um carro mais solícito. Uma boa quantidade de gente caminhava pela calçada. Uns às pressas, outros meramente passeando. Do outro lado, um homem contemplava fixamente uma placa de metal. Depois de examinar bem, virou-se de frente, e os olhos de Tommy se arregalaram. Conhecia aquele rosto. Observou-o ir até a extremidade da rua, parar, voltar-se e fazer o mesmo percurso de retorno. Alguém saiu do prédio às costas de Tommy, e nesse momento o sujeito na calçada oposta apressou um pouco o passo, continuando sempre do mesmo lado, porém acompanhando o homem que acabava de sair. Acontece que esse último, que viera do escritório de Partingdale, Harris, Lockeridge & Partingdale, segundo Tommy pôde perceber enquanto se afastava rapidamente, tratava-se quase certamente do sr. Eccles. No mesmo instante surgiu lentamente um táxi à procura de passageiros. Tommy ergueu a mão, e o carro encostou no meio-fio. Abriu a porta e entrou.

— Para onde?

Tommy hesitou por um momento, olhando para o pacote em suas mãos. Quando ia dar o endereço, mudou de ideia e disse:
— Lyon Street, 14.

Quinze minutos depois chegava ao destino. Pagou a corrida, tocou a campainha e perguntou pelo sr. Ivor Smith. Ao entrar numa sala do segundo andar, um homem sentado a uma mesa diante da janela voltou-se e exclamou com leve surpresa:

— Olá, Tommy! Que milagre foi esse? Há quanto tempo! O que veio fazer aqui? Apenas dar uma volta, visitando os velhos amigos?

— A ideia não é tão simpática assim, Ivor.

— Suponho que esteja a caminho de casa após a conferência?

— Sim.

— No mínimo o mesmo blá-blá-blá de costume, não? Nenhuma conclusão a chegar e nada de aproveitável a dizer.

— Exato. Um puro desperdício de tempo.

— Calculo que principalmente escutando o gagá do Bogie Waddock a berrar a plenos pulmões. Um chato de lascar. Cada ano fica pior.

— Oh! Enfim...

Tommy sentou-se na cadeira oferecida, aceitou um cigarro e abordou o assunto:

— Estive imaginando... olhe que é mero palpite, hein?... se por acaso você não sabe alguma coisa de caráter duvidoso a propósito de um tal Eccles, procurador da firma Partingdale, Harris, Lockeridge & Partingdale?

— Ora, veja só — retrucou o homem chamado Ivor Smith, arqueando sobrancelhas muito convenientes para serem arqueadas. O começo delas, perto do nariz, retorcia-se para o alto, e as pontas se prolongavam numa extensão quase assombrosa. À menor provocação, davam-lhe o aspecto de uma pessoa que tivesse recebido um choque tremendo, embora no fundo fosse uma reação normal. — Esbarrou com Eccles em algum lugar, hein?

— O problema — contestou Tommy — é que nada sei a respeito dele.

— E quer ficar sabendo?

— Sim.

— Hum. Como se lembrou de me procurar?

— Vi Anderson na calçada. Faz muito tempo que não o vejo, mas o reconheci em seguida. Andava vigiando alguém. Fosse quem fosse, era no prédio do qual eu acabava de sair, onde existem duas firmas de advogados e uma de contabilidade. Claro que podia ser qualquer uma delas ou qualquer funcionário de uma delas. Mas um homem descendo a rua me pareceu ser Eccles. E então fiquei imaginando se por um feliz acaso não seria a ele que Anderson estava seguindo.

— Hum — fez Ivor Smith. — Bem, Tommy, você sempre teve bom faro.

— Quem é Eccles?

— Não sabe? Não tem a menor ideia?

— Nenhuma — respondeu Tommy. — Para resumir uma história muito longa, fui procurá-lo para obter informação a respeito de uma senhora que saiu recentemente de um asilo. O procurador encarregado de tomar todas as providências para ela era o sr. Eccles. Parece que agiu com perfeito decoro e eficiência. Eu precisava do endereço atual da velha. Diz ele que não tem. É possível... mas não sei, não. É a única pista que possuo do paradeiro dela.

— E quer encontrá-la?

— Sim.

— Pelo jeito, não creio que lhe possa ser muito útil. Eccles é um procurador de todo respeito, judicioso, que dispõe de grande renda, com uma infinidade de clientes impecáveis. Trabalha para a pequena nobreza rural, classes profissionais, soldados e marinheiros aposentados, generais e almirantes, e por aí afora. Personifica o suprassumo da correção. Pelo que você me diz, deduzo que se manteve estritamente dentro dos limites de suas atividades legais.

— Porém vocês estão... interessados nele — insinuou Tommy.

— Sim, de fato estamos. — Suspirou. — Andamos interessados nele há seis anos, no mínimo. E não fizemos grandes progressos.

— Muito interessante — disse Tommy. — Torno a lhe fazer a mesma pergunta. Quem é exatamente o sr. Eccles?

— Quer dizer, que suspeita temos dele? Olhe, para resumir numa frase, desconfiamos de que seja um dos cérebros mais bem organizados da atividade criminosa neste país.

— Atividade criminosa?

Tommy parecia surpreso.

— Isso mesmo. Nada de capa e espada. Nada de espionagem ou contraespionagem. Não, pura e simples atividade criminosa. Trata-se de um sujeito que até hoje, pelo que pudemos apurar, jamais cometeu um crime na vida. Nunca roubou nada, falsificou ou se apossou de quaisquer bens ilicitamente. Não há nenhuma espécie de prova que se possa apresentar contra ele. Mas, apesar disso, onde quer que ocorra um assalto minuciosamente planejado, sempre se encontra, num canto dos bastidores, o sr. Eccles levando uma vida inatacável.

— Seis anos — repetiu Tommy, pensativo.

—Talvez até mais. Levou certo tempo para se compreender qual era o esquema. Roubos bancários, saques de joias particulares, toda espécie de coisas relacionadas com grandes somas monetárias. Cada um desses trabalhos obedecia a um plano comum. A conclusão inevitável é que haviam sido idealizados pelo mesmo cérebro. As pessoas que os orientavam e punham em prática jamais tiveram de se preocupar com a parte teórica. Iam aonde eram mandados, cumpriam as ordens recebidas e nunca precisavam raciocinar. Alguém se incumbia disso.

— E como chegaram a Eccles?

Ivor Smith sacudiu a cabeça, refletindo.

— Demoraria muito tempo para contar. É um homem que possui uma porção de contatos, uma infinidade de amigos. Gente com quem joga golfe, que utiliza seu carro, firmas de corretores da bolsa que operam para ele. Há companhias fazendo negócios irrepreensíveis, nas quais ele tem interesse. O esquema cada vez fica mais nítido, porém a parte que lhe cabe continua obscura, a não ser pelo fato de se ausentar de um modo conspícuo em determinadas ocasiões. Um grande assalto bancário, inteligentemente planejado (e sem olhar despesas, note-se), com uma fuga bem preparada e tudo o mais, e por onde é que anda o sr. Eccles quando isso acontece? Em Monte Carlo, Zurique ou até mesmo pescando salmão na Noruega. Pode-se ficar absolutamente certo de que nunca será encontrado num raio de cento e cinquenta quilômetros quadrados do local do crime.

— E, no entanto, desconfiam dele?

— Ah, claro. Eu, por exemplo, não tenho a menor dúvida. Agora, conseguir pegá-lo é assunto inteiramente diverso. O camarada que escavou o túnel que desemboca no assoalho de um banco, o que deixou desacordado o guarda noturno, o caixa incriminado desde o início, o gerente que forneceu as informações, nenhum deles conhece Eccles e provavelmente jamais o viu. Existe uma longa cadeia a perder de vista... e parece que ninguém sabe mais do que o elo seguinte.

— O velho plano infalível da célula?

— Sim, mais ou menos. Mas há algum raciocínio inicial. Um dia surgirá uma oportunidade. Alguém que não deveria saber de *nada* saberá *alguma coisa*. Um pormenor bobo e sem importância, talvez, mas que, por estranho que pareça, fornecerá afinal a prova.

— Ele é casado...? Tem família?

— Não, nunca assume riscos desse gênero. Mora sozinho, com governanta, jardineiro e mordomo. Dá festas de uma maneira moderada e agradável, e eu seria capaz de jurar que toda pessoa que entra como convidada em sua casa está acima de qualquer suspeita.

— E ninguém enriquece?

— Eis aí uma observação inteligente, Thomas. Alguém *devia* estar enriquecendo. Só que essa parte está organizada de modo incrivelmente esperto. Grandes vitórias em corridas de cavalos, investimentos em capitais e ações, tudo perfeitamente normal, apenas com a margem de risco suficiente para render muito dinheiro e, em conjunto, transações aparentemente legítimas. Há grandes somas depositadas no exterior, em países e cidades diferentes. É uma vasta e imensa sociedade com fins lucrativos... e o capital nunca fica parado... muda constantemente de lugar.

— Então — disse Tommy —, sorte para vocês. Espero que agarrem o homem.

— Acho que um dia conseguiremos, sabe? Talvez houvesse um jeito, se a gente pudesse arrancá-lo da rotina.

— Com o quê?

— Fazendo-o sentir-se em perigo — respondeu Ivor. — Deixando-o perceber que alguém está no seu rastro. Tornando-o inseguro. Quando se consegue isso, um sujeito é capaz de qualquer tolice. Pode cometer um erro. É assim que se pega o camarada com a boca na botija, compreende? Tome, por exemplo, o homem mais inteligente que exista, que planeja brilhantemente um golpe e nunca dá um passo em falso. Atordoe o cara com qualquer ninharia e ele escorrega. É por isso que tenho esperanças. Agora me conte sua história. Você deve saber algo que talvez seja útil.

— Nada com relação a crime, receio... Completamente insignificante.

— Mesmo assim, conte.

Tommy relatou a história toda sem exagerar as desculpas pela sua trivialidade. Sabia que Ivor não era homem de desprezar bagatelas. E realmente não fez cerimônia em abordar logo o ponto nevrálgico que trouxera Tommy ali.

— E sua esposa, então, desapareceu?

— Ela não costuma fazer isso.

— O caso é sério.

— Para mim de fato é.

— Posso avaliar. Encontrei-a apenas uma vez. Ela é viva.

— Quando sai atrás de alguma coisa é pior que um perdigueiro no rastro — afiançou Tommy.

— Já comunicou à polícia?

— Não.

— Por quê?

— Ora, em primeiro lugar porque não posso acreditar que ela não esteja bem. Tuppence sempre está. Só que tem mania de correr no encalço da primeira lebre que lhe apareça pela frente. Talvez não tivesse tempo de avisar.

— Hum. Isso não me agrada muito. Você diz que ela anda à procura de uma casa? Eis um detalhe que *pode* ser interessante, pois entre os vários indícios soltos que seguimos, que, diga-se de passagem, não levaram a grandes resultados, há uma espécie de cadeia de corretores de imóveis.

— Corretores de imóveis? — retrucou Tommy, surpreso.

— É. Imobiliárias honestas, comuns e quase sem projeção em pequenas cidades do interior de diversas regiões da Inglaterra, porém nenhuma muito distante de Londres. A firma do sr. Eccles faz uma porção de transações com elas. Às vezes ele atua como advogado dos compradores, outras dos vendedores, e utiliza várias agências imobiliárias em nome dos clientes. Bem que gostaríamos de saber o motivo. Nenhuma delas parece muito lucrativa, entende?...

— Mas julgam que talvez significasse alguma coisa ou conduzisse a uma pista?

— Olhe, se você se lembra do grande assalto ao London Southern Bank de alguns anos atrás, havia uma casa no interior... completamente isolada. Servia como ponto de encontro dos ladrões. Não chamavam a atenção de ninguém, mas era lá que escondiam o produto do roubo. Os moradores dos arredores começaram a desconfiar, perguntando-se que gente era essa que chegava e partia em horas tão estranhas. Surgiam diferentes carros em plena noite e depois iam embora. Os habitantes da província são curiosos sobre a vida dos vizinhos. E, com efeito, a polícia deu uma batida na casa, recuperou parte do roubo e prendeu três sujeitos, inclusive um que foi reconhecido e identificado.

— Bem, e isso não forneceu nenhuma pista?

— De fato não. Os homens se recusaram a falar, conseguiram bons advogados e, apesar de condenados a longos anos de cárcere, dentro de um ano e meio estavam todos em liberdade de novo. Fugas muito inteligentes.

— Creio que me recordo de ter lido algo a respeito. Um deles desapareceu do pátio interno da prisão, aonde fora levado por dois carcereiros.

— Justamente. Tudo muito bem planejado e gastando uma enorme soma de dinheiro na fuga. Na nossa opinião, porém, fosse quem fosse o responsável pela organização geral, deve ter compreendido o erro que cometera em manter uma casa por tanto tempo, a ponto de despertar o interesse dos vizinhos. Alguém, talvez, achou que seria melhor ideia arrumar auxiliares que residissem, digamos, em cerca de *trinta* casas em *lugares diferentes*. As pessoas chegam e ocupam um prédio, mãe e filha, por exemplo, uma viúva, ou um militar aposentado na companhia da esposa. Gente pacata, simpática. Fazem algumas reformas, contratam um construtor local, melhoram o encanamento e até mesmo combinam o trabalho com qualquer firma de decoração de Londres, e aí, então, depois de um ou dois anos, surgem novas circunstâncias e os ocupantes vendem a casa e vão morar no estrangeiro. Uma coisa mais ou menos parecida. Tudo perfeitamente natural e sem incidentes. Durante a locação, talvez tenha sido usada para finalidades um pouco insólitas! E, no entanto, ninguém suspeitou. De quando em quando, recebiam visitas de amigos. Mas só de raro em raro. Uma noite, talvez, uma espécie de festa de aniversário para uma pessoa de meia-idade ou um casal de velhos; ou então para festejar alguma maioridade. Uma porção de carros entrando e saindo. Digamos que ocorram cinco grandes roubos num período de seis meses e que cada vez o produto da pilhagem fique escondido não apenas em uma das casas, mas passe por cinco diferentes, em outras tantas regiões do interior. Por enquanto trata-se apenas de uma conjectura, meu caro Tommy, porém estamos estudando-a. Digamos que a tal velhinha se desfaça de um quadro de certa casa e suponhamos que se trate de um lugar *significativo*. Sua esposa reconhece um recanto qualquer e lança-se em campo, a fim de investigar. E que alguém não queira justamente que essa casa seja identificada... Tudo pode ter ligação, sabe?

— É uma hipótese muito fantasiosa.

— Oh, sim... concordo. Mas na época em que vivemos é exatamente assim... Acontecem coisas incríveis neste mundo.

II

Tommy desceu um tanto cansado do quarto táxi que pegava no mesmo dia e olhou os arredores de maneira avaliativa. O motorista o deixara num pequeno beco sem saída, dissimulado timidamente sob uma das protuberâncias de Hampstead Heath, e que parecia ter sido exposto a "melhoramentos" artísticos. Cada moradia era completamente diferente da contígua. A que ele procurava aparentava ser constituída por um amplo estúdio coberto por claraboias e ligado (como se fosse um abscesso) a uma espécie de minúsculo conjunto de três peças. Uma escada pintada de verde-claro subia pelo exterior da construção. Tommy abriu o portãozinho, percorreu uma trilha ascendente e não vendo campainha bateu com a aldrava. Como não atendiam, esperou alguns instantes e depois recomeçou a sacudir a argola, dessa vez um pouco mais forte.

A porta se abriu com tal brusquidão que ele quase caiu de costas. No umbral apareceu uma mulher. À primeira vista, Tommy teve a impressão de que era uma das mais feias que já vira. Tinha um rosto largo e achatado, semelhante a uma panqueca, com dois olhos imensos que pareciam de cores absurdamente díspares, um verde e o outro castanho. A testa nobre era coroada por um tufo de cabelo eriçado, na maior desordem. Usava um macacão roxo, com nódoas de argila, e Tommy reparou que a mão que segurava a porta aberta possuía uma estrutura de extraordinária beleza.

— Oh — exclamou ela, numa voz grossa e bastante sedutora. — O que é? Estou ocupada.

— Sra. Boscowan?

— Sim. O que deseja?

— Meu nome é Beresford. Gostaria de saber se poderia falar um instante com a senhora.

— Não sei. Precisa mesmo? De que se trata?... É a respeito de algum quadro?

O olhar dela se fixou no embrulho que ele sobraçava.

— É. Algo relacionado a um dos quadros de seu esposo.

— Para vender? Tenho uma porção de quadros dele. Não tenciono comprar mais nenhum. Leve a uma dessas galerias ou troço parecido. Estão tendo grande procura atualmente. O senhor não tem aspecto de quem necessite vender quadros.

— Oh, não, não quero vender coisa nenhuma.

Tommy sentia uma dificuldade extraordinária em conversar com a mulher. Seus olhos, embora diferentes, eram magníficos e fitavam a rua por cima do ombro dele com um ar de interesse um tanto bizarro num ponto qualquer do horizonte.

— Por favor — pediu Tommy. — Gostaria que me deixasse entrar. É tão difícil de explicar...

— Se é um pintor, não quero conversa — replicou a sra. Boscowan. — Sempre acho uma classe de gente muito chata.

— Não sou pintor.

— Bem, não há dúvida de que não parece mesmo. — Esquadrinhou-o de alto a baixo. — Tem mais cara de funcionário público — sentenciou, taxativa.

— Posso entrar, sra. Boscowan?

— Não tenho certeza. Espere aí.

Fechou a porta um pouco bruscamente. Tommy aguardou. Depois de quatro minutos, mais ou menos, tornou a abrir.

— Muito bem — disse ela. — Agora entre.

Foi na frente, subindo uma escada estreita até chegar no grande estúdio. Num canto havia um bloco de escultura com várias ferramentas ao lado. Martelos e cinzéis. Via-se também uma cabeça de argila. O lugar inteiro dava a aparência de ter sido devastado recentemente por um bando de desordeiros.

— Aqui nunca há espaço para a gente se sentar — preveniu a sra. Boscowan.

Jogou longe uma porção de coisas que estavam em cima de um banquinho de madeira e empurrou-o na direção dele.

— Pronto. Sente-se aí e diga o que deseja.

— Foi muito amável em me deixar entrar.

— Tem toda a razão, mas achei-o tão preocupado... O senhor está preocupado com alguma coisa, não está?

— Estou, sim.

— Foi o que pensei. Por quê?

— Minha esposa — explicou Tommy, surpreendendo-se com a própria resposta.

— Ah, preocupado com a esposa? Bem, não há nada de anormal nisso. Os homens vivem se preocupando por causa das mulheres. O que houve?... Fugiu com alguém ou caiu na gandaia?

— Não. Não é nada disso.

— Moribunda? Câncer?

— Não — protestou Tommy. — Apenas não sei onde anda.

— E por acaso julga que eu saiba? Olhe, é melhor me dizer o nome dela e mais algumas coisas se me acha capaz de encontrá-la. Mas não garanto, note bem — advertiu a sra. Boscowan —, que eu esteja disposta a fazer isso. Fique prevenido.

— Graças a Deus — exclamou Tommy — que a senhora é mais fácil de abordar do que eu esperava.

— O que é que o quadro tem a ver com isso tudo? Porque é um quadro, não?... Tem de ser, pelo formato.

Tommy tirou o embrulho.

— Foi pintado por seu marido — disse. — Queria que me contasse tudo o que sabe a respeito dele.

— Compreendo. O que é que desejava saber exatamente?

— Quando foi feito e onde fica.

A sra. Boscowan olhou para ele e, pela primeira vez, houve uma leve centelha de interesse em seus olhos.

— Bem, isso não é difícil — declarou. — Sim, posso dizer-lhe tudo o que sei a respeito. Foi pintado há cerca de quinze anos... Não, há muito mais tempo, acho. Pertence à primeira fase. Vinte anos, eu diria.

— Sabe onde fica?... O lugar, quero dizer.

— Oh, sim, lembro perfeitamente. Bonito quadro. Sempre gostei dele. Essa é a pequena ponte em arco, com a casa, e o nome do lugar é Sutton Chancellor. Dista uns dez a doze quilômetros de Market Basing. A casa fica mais ou menos a uns três quilômetros de Sutton Chancellor. Lindo recanto. Isolado.

Aproximou-se do quadro, curvou-se e examinou-o bem de perto.

— Engraçado — comentou. — Sim, que coisa estranha. Essa é boa.

Tommy não deu muita atenção a isso.

— Qual é o nome da casa? — perguntou.

— Realmente não lembro. Trocaram várias vezes, sabe? Não sei o que havia. Tenho a impressão de que aconteceram algumas coisas um pouco trágicas por lá. Depois a gente que se mudou para lá mudou o nome. Chamou-se uma vez a Casa do Canal, ou a Beira do Canal. Também foi apelidada de Casa da Ponte, Meadowside... ou Riverside, sei lá.

— Quem eram... ou quem são os moradores? A senhora sabe?

— Ninguém sabe. Quando a vi pela primeira vez, um homem e uma moça tinham-na alugado. Passavam os fins de semana lá. Não creio que fossem casados. A moça era bailarina. Talvez uma atriz... não, acho que era bailarina mesmo. Dançava balé. Linda, mas muito burra. Deficiente, quase retardada. Lembro que William tinha um fraco especial por ela.

— Pintou-a?

— Não. Não costumava pintar retratos. De vez em quando dizia que queria desenhar certas pessoas, mas nunca chegou a fazê-lo. Sempre foi bobo por garotas.

— Eram eles que moravam na casa quando seu marido pintou o quadro?

— Sim, creio que sim. Em todo caso, não o tempo todo. Só vinham nos fins de semana. Depois houve uma espécie de rompimento. Tiveram uma briga, me parece, ou ele foi embora e deixou a moça, ou então o contrário. Eu não estava lá na ocasião. Tinha ido para Conventry, esculpir um grupo. Acho que mais tarde havia apenas uma governanta na casa e a criança. Não sei de quem era filha nem de onde veio, porém imagino que a mulher estivesse cuidando dela. Depois, tenho a impressão de que aconteceu algo com a menina. A governanta levou-a embora para algum lugar ou talvez tenha morrido. Por que quer saber a respeito de gente que morou naquela casa há vinte anos? Isso me parece uma asneira.

— Quero que me conte tudo o que puder sobre a casa — afirmou Tommy. — A senhora entende, minha mulher saiu à procura dela. Disse que a viu num lugar qualquer, da janela de um trem.

— E tem toda a razão — retrucou a sra. Boscowan —, a linha férrea passa logo do outro lado da ponte. Creio que se avista perfeitamente dali. — E então perguntou: — Por que ela insiste em encontrar a casa?

Tommy deu uma explicação muito resumida. A escultora olhou-o desconfiada.

— O senhor não saiu de um hospital de alienados ou troço parecido, não? De licença ou algo semelhante, sei lá como dizem.

—Vai ver essa é a impressão que eu dou, mas no fundo é até bem simples. Minha mulher queria descobrir onde fica a tal casa e por isso empreendeu uma série de viagens de trem para encontrar o lugar. E eu acho que localizou. Tenho certeza de que ela chegou em... não-sei-o-que Chancellor?

— Sutton Chancellor, é. Uma aldeiazinha de nada. Claro que hoje pode estar muito desenvolvida ou mesmo transformada numa dessas novas cidades residenciais.

—Tudo é possível — disse Tommy. — Ela telefonou para avisar que ia voltar, mas não voltou. E eu quero saber o que lhe aconteceu. Creio que começou a investigar a respeito da casa e talvez... talvez esteja correndo perigo.

— Mas que perigo podia haver?

— Não sei — respondeu Tommy. — Nenhum de nós dois sabia. Nem me passou pela ideia que pudesse correr qualquer risco, embora minha esposa tivesse um pressentimento contrário.

— Ela tem faculdades premonitórias?

— Provavelmente. É um pouco assim. Anda sempre com palpites. A senhora nunca ouviu falar ou conheceu uma tal de sra. Lancaster há vinte anos ou em qualquer época até um mês atrás?

— Sra. Lancaster? Não, acho que não. É o tipo de nome que a gente não esquece. Não. O que tem ela?

— Era a dona deste quadro. Deu-o num gesto de amizade a uma tia minha. Depois foi embora de um asilo um tanto precipitadamente. Levada por parentes. Tentei localizá-la, mas não é fácil.

— Qual dos dois tem mais imaginação, o senhor ou sua esposa? Parece que andou supondo uma porção de coisas que o deixaram um pouco nervoso, se me permite a expressão.

— Oh, sim, não levo a mal. Um pouco nervoso e tudo a troco de nada. É o que a senhora quer dizer, não? Acho que também tem razão.

— Não — retrucou a sra. Boscowan, num tom de voz ligeiramente alterado. — Eu não diria que seja a troco de nada.

Tommy fitou-a com curiosidade.

— Há uma coisa estranha neste quadro — continuou a sra. Boscowan. — Muito estranha. Eu me lembro perfeitamente dele, entende? Acontece o mesmo com a maioria das obras de William, embora tenha pintado muitos.

— Não se recorda de quem o comprou, se é que foi vendido?

— Não, disso eu não me lembro. Mas creio que foi, sim. Ele vendeu aos montes numa das exposições. Houve muita procura por este durante três ou quatro anos e mais uns dois anos depois. Compraram uma porção. Quase todos. Mas já não lembro quem comprou este aqui. É pedir demais.

— Estou muito grato por tudo o que a senhora lembrou.

— Não vai me perguntar por que eu disse que havia uma coisa estranha neste quadro?

— Quer dizer que não é do seu marido... outra pessoa o pintou?

— Oh, não. É o quadro que William pintou, sim. "Casa num Canal", acho que era o título no catálogo. Mas não está mais igual. Compreende? Tem uma coisa errada nele.

— Qual?

A sra. Boscowan apontou o dedo sujo de argila para um ponto logo abaixo da ponte que cruzava o canal.

— Ali — disse. — Está vendo? Há um barco atracado sob a ponte, não há?

— Sim — confirmou Tommy, intrigado.

— Pois não havia, pelo menos da última vez em que vi o quadro. William nunca pintou isso. Quando foi exposto, *não existia barco de espécie alguma*.

— Quer dizer que alguém que não foi o seu marido pintou isso mais tarde?

— Exatamente. Estranho, não? Eu só queria saber por quê. Logo de saída fiquei surpreendida ao vê-lo ali, num lugar onde não havia nenhum. Depois percebi nitidamente que não tinha sido pintado por William. Não foi ele quem o colocou ali, em época alguma. Deve ter sido outra pessoa. Mas quem?

Olhou para Tommy.

— E por quê?

Tommy não dispunha de nenhuma solução para oferecer. Fitou-a. Tia Ada teria definido a sra. Boscowan como biruta, mas ele não tinha a mesma opinião. Era vaga, com um jeito abrupto de mudar de assunto. As coisas que falava pareciam ter pouquíssima relação com o que dissera no minuto anterior. Tommy achava que era o tipo de pessoa que guarda para si a maior parte de suas observações. Amara o marido, sentira ciúmes dele ou simplesmente o desprezara? De fato, não deixava transparecer o menor indício em sua conduta ou muito menos em suas palavras. Porém, teve a impressão de que aquele pequeno barco atracado debaixo da ponte lhe provocara apreensão. Não gostara de vê-lo ali. De repente ficou imaginando se o que ela dissera seria verdade. Poderia realmente lembrar-se de tantos anos atrás para afirmar com certeza se Boscowan tinha ou não pintado o barco na ponte? Afinal, era um detalhe tão insignificante... Se tivesse visto o quadro pela última vez há apenas um ano, vá lá... mas, pelo jeito, fazia muito mais tempo. E a deixara apreensiva. Fitou-a novamente e reparou que ela fazia o mesmo com ele. Aqueles olhos curiosos estavam fixos nele, não com ar de desafio, somente pensativos. Imersos na mais profunda reflexão.

— O que pretende fazer agora? — perguntou.

Isso pelo menos era fácil. Tommy não teve dificuldade em explicar o que tencionava fazer.

—Vou voltar para casa logo mais... ver se há qualquer notícia de minha mulher... qualquer recado. Caso contrário, amanhã irei a esse lugar — disse. — Sutton Chancellor. Espero que ela esteja lá.

— Depende — retrucou a sra. Boscowan.
— Do quê? — perguntou Tommy abruptamente.
A sra. Boscowan franziu o cenho. E depois murmurou, aparentemente consigo mesma:
— Eu gostaria de saber onde ela anda...
— Ela quem?
A Sra. Boscowan desviara o olhar. De repente fitou-o de novo.
— Oh — exclamou. — Referia-me à sua esposa. — E acrescentou: — Tomara que esteja bem.
— Por que não haveria de estar? Diga-me uma coisa, sra. Boscowan, há algo de errado com esse lugar... com Sutton Chancellor?
— Com Sutton Chancellor? Com o lugar? — Ela pensou um pouco. — Não, creio que não. Não com o *lugar*.
— Acho que me referi à casa — insistiu. — Essa casa do canal. Não à aldeia.
— Ah, a casa — disse sra. Boscowan. — Era realmente uma boa casa. Ideal para os apaixonados, sabe?
— Algum casal morou lá?
— Às vezes. Porém não com frequência suficiente. Quando uma casa é construída para os apaixonados, só devia ser habitada por eles.
— E não destinada a outras finalidades.
— O senhor é muito ágil — disse a sra. Boscowan. — Entendeu logo o que eu quis dizer, não? A gente não deve usar uma casa para uma finalidade que nunca teve. Do contrário, sai tudo errado.
— Sabe alguma coisa sobre as pessoas que moraram lá durante os últimos anos?
Sacudiu a cabeça.
— Não. Não sei absolutamente nada a respeito da casa. Nunca foi importante para mim, entende?
— Porém não está pensando em algo?... Em alguém?
— Sim — respondeu a sra. Boscowan. — Acho que nesse ponto o senhor tem razão. Estava pensando em... alguém.
— E não pode revelar quem seja?

— Não há realmente nada para revelar. Às vezes, sabe, a gente apenas fica imaginando onde andará determinada pessoa. O que aconteceu com ela ou que tipo de evolução... sofreu. Há uma espécie de sensação... — Balançou as mãos. — Quer um arenque? — perguntou inesperadamente.

— Um arenque? — repetiu Tommy, assombrado.

— Bem, é que eu tenho dois ou três aqui. Achei que talvez devia comer alguma coisa antes de pegar o trem. A estação é a de Waterloo — informou. — Para Sutton Chancellor, quero dizer. Antigamente era preciso fazer baldeação em Market Basing. Decerto não mudou.

Era uma indireta para encerrar a visita. Tommy entendeu e despediu-se.

13

Albert e o fio da meada

TUPPENCE PISCOU. A visão parecia um pouco embaralhada. Experimentou soerguer a cabeça, mas estremeceu com uma dor tão violenta que a deixou cair de novo no travesseiro. Fechou as pálpebras. Dali a pouco tornou a abri-las e pestanejou outra vez.

Com uma sensação de triunfo, reconheceu o ambiente. "Estou num quarto de hospital", pensou. Satisfeita com o progresso mental provisório, desistiu de novas deduções inteligentes. Encontrava-se num quarto de hospital e sua cabeça doía. Por que essa dor, que hospital era aquele, não saberia responder. "Acidente?", perguntou-se.

Havia enfermeiras se movendo entre as camas. O que afinal era perfeitamente normal. Cerrou os olhos e tentou um breve raciocínio cauteloso. A tênue visão de uma silhueta idosa em roupas clericais cruzou-lhe a mente.

— Papai? — perguntou Tuppence, desconfiada. — É o senhor?

Não conseguia realmente lembrar. Supôs que fosse.

— Mas o que estou fazendo na cama de um hospital? — indagou a si mesma. — Quero dizer, trabalho de enfermeira num hospital, portanto devia vestir uniforme. Com a farda do VAD.* Ah, meu Deus!

---

* VAD: *Voluntary Aid Detachment* (Destacamento Voluntário de Socorros) — tropas femininas de enfermagem inglesa durante a Primeira Guerra Mundial (N. do T.).

De repente uma figura de enfermeira se materializou perto do leito.

— Sente-se melhor agora, meu bem? — perguntou, com uma espécie de falsa jovialidade. — Que bom, não é?

Tuppence não tinha muita certeza de que *fosse* bom. A mulher disse alguma coisa a propósito de uma boa xícara de chá.

"Parece que sou uma paciente", deduzia Tuppence um tanto contrariada. Permaneceu imóvel, ressuscitando na lembrança várias ideias e palavras esparsas.

— Soldados — disse Tuppence. — VADs. Claro que é isso. Sou do VAD.

A enfermeira trouxe-lhe um pouco de chá numa espécie de mamadeira e ficou segurando enquanto ela tomava. Sentiu de novo uma dor na cabeça.

— Sou do VAD — falou em voz alta. — É isso que eu sou.

A enfermeira olhou para ela como se não compreendesse.

— Minha cabeça dói — queixou-se, constatando um fato irrefutável.

— Logo há de melhorar — prometeu a enfermeira.

Levou a mamadeira, comunicando a uma irmã enquanto se retirava:

— A número 14 acordou. Mas acho que está um pouco confusa.

— Ela falou alguma coisa?

— Disse que era VIP — respondeu.

A irmã emitiu um som que indicava sua opinião a respeito de pacientes anônimos que se proclamavam VIPs.

— Depois tiraremos isso a limpo — disse. — Ande de uma vez, enfermeira, não fique aí parada o dia inteiro com essa mamadeira.

Tuppence permaneceu meio sonolenta nos travesseiros. Ainda não havia saído na fase em que as ideias passavam por sua cabeça numa procissão um tanto desordenada.

Sentia a falta de alguém que deveria estar ali, uma pessoa que conhecia intimamente. Havia alguma coisa errada nesse hospital. Não era o mesmo de que se lembrava. Não tinha sido ali que trabalhara. "Estava cheio de soldados, isso, sim. O pavilhão de cirurgia. As fileiras A e B eram as minhas." Abriu as pálpebras e deu uma olhada ao redor. Chegou à conclusão de que não só nunca tinha visto aquele hospital como tampouco tinha qualquer coisa a ver com casos cirúrgicos, militares ou não.

— Só queria saber onde estou — disse Tuppence. — Em que lugar?

Tentou pensar em algum nome. Os únicos que lhe vieram à memória foram Londres e Southampton.

A irmã se aproximou.

— Sentindo-se melhor, espero.

— Estou perfeitamente bem — respondeu. — O que foi que houve comigo?

— Feriu a cabeça. No mínimo deve estar doendo, não?

— Está, sim. Que lugar é este?

— O Hospital Público de Market Basing.

Tuppence refletiu sobre a informação. Não lhe significava absolutamente nada.

— Um velho pastor — murmurou.

— Como disse?

— Nada de especial. Eu...

— Ainda não conseguimos escrever o seu nome na folha de controle.

Ficou com a caneta esferográfica na mão, na expectativa.

— O meu nome?

— Sim — respondeu a irmã. — Para o registro — acrescentou à guisa de explicação.

Tuppence conservou-se em silêncio, pensando. Seu nome. Como era mesmo? "Que asneira", disse consigo mesma, "parece que esqueci. E no entanto é lógico que devo ter um". De repente uma leve sensação de alívio tomou conta dela. Lembrou-se bruscamente do rosto do velho pastor.

— Ora, claro — afirmou, decidida. — Prudence.
— P-r-u-d-e-n-c-e?
— Exato.
— Esse é o nome. E o sobrenome?
— Cowley. C-o-w-l-e-y.
— Ainda bem que esclarecemos — disse a irmã, afastando-se novamente com o ar de alguém cujos registros já não constituíam mais matéria de preocupação.

Tuppence sentiu-se levemente eufórica. Prudence Cowley. Prudence Cowley no VAD, e seu pai era um pastor em... em um vicariato qualquer, era tempo de guerra e...

— Que engraçado — falou para si mesma. — Parece que estou confundindo tudo. Parece que isso aconteceu há muito tempo. — Murmurou baixinho: — *A coitadinha era sua filha?*

Ficou matutando. Fora ela quem tinha dito aquilo há pouco? Ou ouvira a frase da boca de outra pessoa?

A irmã reapareceu.

— Seu endereço — pediu. — Srta. Cowley, ou é sra. Cowley? Perguntou por uma criança?

— A coitadinha era sua filha? Alguém me disse isso ou sou eu quem está dizendo?

— Acho que se eu fosse você, meu bem, trataria de dormir um pouco — recomendou a irmã.

Foi-se embora, para transmitir a informação obtida ao lugar adequado.

— Parece que ela recobrou os sentidos, doutor — observou —, e diz que se chama Prudence Cowley. Mas, pelo visto, não se recorda de onde mora. Falou algo a respeito de uma criança.

— Muito bem — retrucou o médico, com ar despreocupado habitual —, vamos dar-lhe mais vinte e quatro horas. Está se recobrando rapidamente do choque.

II

Tommy remexeu a chave. Antes que pudesse usá-la, a porta se abriu e Albert apareceu no limiar.

— Então — perguntou Tommy —, ela voltou?

Albert sacudiu lentamente a cabeça.

— Nenhuma notícia dela, nenhum recado telefônico, carta... ou telegrama?

— Nada, patrão, estou lhe dizendo. De espécie alguma. E de ninguém mais, tampouco. Eles estão na moita... mas estão com ela. Essa é a minha opinião. Eles estão com ela.

— Que diabo você quer dizer... Eles estão com ela? — perguntou Tommy. — As coisas que você lê. Quem está com ela?

— Ora, o senhor bem sabe. A quadrilha.

— Que quadrilha?

— Uma dessas quadrilhas de assaltantes, talvez. Ou uma internacional.

— Pare de dizer besteira — retrucou Tommy. — Sabe o que eu acho?

Albert fez cara de curiosidade.

— Acho que é uma completa falta de consideração dela não mandar avisar nada — disse Tommy.

— Oh — exclamou Albert —, bem, compreendo o que o senhor quer dizer. Imagino que se *possa* encarar a coisa dessa maneira. Se assim lhe agrada mais — acrescentou, um pouco desastrosamente. Retirou o embrulho dos braços de Tommy. — Vejo que trouxe o quadro de volta.

— Sim, trouxe essa maldita droga de volta. Não serviu para coisa nenhuma.

— Não conseguiu alguma informação com ele?

— Assim também já é exagero. Conseguir, consegui. Mas se vai adiantar é o que não sei. O dr. Murray decerto não telefonou, não é? Nem a srta. Packard da Casa de Saúde Sunny Ridge? Nada nesse sentido?

— Ninguém telefonou, a não ser o homem da quitanda, para dizer que chegaram umas beringelas ótimas. Ele sabe que a patroa gosta muito de beringelas. Sempre avisa quando tem. Então eu respondi que de momento ela não estava. — Acrescentou: — Fiz galinha para o jantar.

— É espantoso como você nunca se lembra de outra coisa que não seja galinha — comentou Tommy com maldade.

— Desta vez é apenas um franguinho — explicou Albert. — O que chamam de galeto.

— Está bem.

O telefone tocou. Tommy saltou da cadeira como um relâmpago e correu para atender.

— Alô... alô?

Uma voz fraca e distante perguntou:

— Sr. Thomas Beresford? Poderia aceitar uma ligação interurbana de Invergasthly?

— Sim.

— Aguarde na linha, por favor.

Tommy aguardou. Sua agitação começou a arrefecer. Teve de esperar certo tempo. Depois uma voz conhecida, firme e decidida, veio no telefone. Era sua filha.

— Alô, é você, papai?

— Deborah!

— Sim. Por que está tão ofegante? Andou correndo?

"Ah, as filhas", pensou. "Sempre críticas."

— Dei para chiar um pouco depois de velho — respondeu. — Como vai, Deborah?

— Ah, eu vou bem. Escute aqui, papai, vi um negócio no jornal. Talvez também tenha visto. Me deixou pensando. Um troço a respeito de alguém que sofreu um acidente e estava no hospital.

— E daí? Tenho a impressão de que não vi nada disso. Quero dizer, nenhuma notícia dessa espécie. Por quê?

— Bem, não... não parecia coisa grave. Creio que se tratava de um desastre de automóvel ou algo no gênero. Mencionava que a mulher, seja lá quem fosse... uma senhora de idade... tinha dado o nome de Prudence Cowley, mas que não fora possível obter o endereço dela...

— Prudence Cowley? Você se refere...

— Pois é. Eu só... bem... eu só fiquei pensando. É o nome de mamãe, não é? Quero dizer, era.

— Claro.

— Sempre esqueço que é Prudence. Nenhum de nós, seja você, eu, ou tampouco Derek, se lembra de que ela se chama assim.

— De fato — concordou Tommy. — Não é o tipo de nome de batismo que combine muito com sua mãe.

— Não, eu sei que não. Apenas pensei que era... um pouco esquisito. Acha que talvez possa ser alguma parenta?

— É bem capaz. Onde é que foi isso?

— Hospital de Market Basing, me parece que dizia a nota. Tive a impressão de que queriam maiores informações sobre ela. Fiquei apenas pensando... ora, eu sei que é uma completa bobagem, deve haver uma infinidade de gente que se chama Cowley e ainda mais Prudence. Mas resolvi telefonar para saber. Quero dizer, verificar se mamãe está em casa, sem ter sofrido nenhum acidente e todo o resto.

— Compreendo — disse Tommy. — Compreendo, sim.

— Então? Como é, papai? Ela está em casa?

— Não — respondeu —, não está, não. E tampouco sei se sofreu algum desastre ou não.

— Mas como? O que é que ela anda fazendo? No mínimo você esteve em Londres com aquela besteira sigilosa que cercam de tanto mistério, uma tolice remanescente do passado, batendo papo com todos aqueles velhotes.

— Acertou em cheio. Voltei de lá ontem à noite.

— E descobriu que mamãe não estava em casa... ou já sabia que ela não estaria? Vamos, papai, conte tudo de uma vez. Você está preocupado. Eu logo noto quando está. O que é que mamãe anda fazendo? No mínimo tramando uma das dela, não? Gostaria de que nessa idade aprendesse a ficar quieta e não se metesse onde não é chamada.

— Ela andava inquieta — explicou Tommy. — Por causa de uma coisa que aconteceu, relacionada com a morte de sua tia--avó Ada.

— Que espécie de coisa?

— Ora, algo que uma das pacientes da casa de saúde contou para ela. Tuppence ficou preocupada com a velha, que começou a falar pelos cotovelos, e sua mãe estranhou certas coisas que ela disse. E então, quando fomos examinar os pertences de tia Ada, nos lembramos de perguntar pela tal velha e pelo visto tinha ido embora sem mais nem menos.

— Ué, isso parece perfeitamente natural, não?

— Uns parentes tinham ido buscá-la.

— Continuo achando muito normal — afirmou Deborah. — Por que mamãe se alarmou?

— Porque meteu na cabeça que devia ter acontecido alguma coisa com a velha.

— Ah.

— Para não andar com rodeios, como se diz, parece que a velha desapareceu. Tudo da maneira mais natural. Isto é, garantida por advogados, bancos etc. e tal. Só que... não conseguimos descobrir seu paradeiro.

— Quer dizer que mamãe saiu por aí à procura dela?

— Sim. E não voltou na data prometida, dois dias atrás.

— E não mandou notícias?

— Nenhuma.

— Bem que podia cuidar melhor dela, papai — censurou Deborah.

— Jamais houve alguém capaz dessa façanha — protestou Tommy. — Nem mesmo você, Deborah, já que tocou no assunto. Foi exatamente o que aconteceu durante a guerra, quando ela se meteu numa porção de coisas que não eram de seu bedelho.

— Mas agora é diferente. Quero dizer, ela está bastante *velha*. Devia ficar sentada em casa e cuidar de si mesma. Garanto que foi de puro tédio. No fundo é isso mesmo.

— Hospital de Market Basing, você disse? — perguntou Tommy.

— Melfordshire. Dista mais ou menos uma hora e meia de trem de Londres, acho.

— Exato — confirmou Tommy. — E há uma aldeia perto de Market Basing chamada Sutton Chancellor.

— O que isso tem a ver? — retrucou Deborah.

— É muito comprido para explicar agora. Tem a ver com a pintura de uma casa perto de uma ponte à beira de um canal.

—Tenho a impressão de que não estou ouvindo você muito bem — disse Deborah. — Que negócio é esse que está falando?

— Não tem importância — respondeu Tommy. —Vou ligar para o Hospital de Market Basing e averiguar um bocado de coisas. Tenho a sensação de que se trata de sua mãe, sim. Você sabe que ao sofrer um choque as pessoas se lembram primeiro do que lhes aconteceu na infância e só aos poucos é que voltam à realidade. Ela se lembrou do nome de solteira. Talvez tenha sofrido um acidente de automóvel, mas eu não me surpreenderia se tivesse levado uma pancada na cabeça. É o tipo da coisa que acontece com sua mãe. Mete-se em tudo. Assim que eu souber de alguma coisa lhe aviso.

Quarenta minutos depois, Tommy Beresford consultou o relógio de pulso e suspirou com extrema exaustão, tornando a pendurar o fone no gancho com uma batida final. Albert reapareceu.

— Como é que vai ser com o jantar, patrão? — perguntou.

— O senhor ainda não comeu nada, e a galinha, sinto muito dizer, eu esqueci... queimou toda.

— Não quero comer coisa nenhuma — respondeu Tommy. — O que eu quero é um drinque. Me traga um uísque duplo.

— É para já, patrão.

Poucos momentos depois, trazia a bebida solicitada ao recanto onde Tommy se jogara: uma poltrona gasta, mas confortável, reservada ao seu uso especial.

— E agora — disse Tommy —, imagino que você queira saber o que aconteceu.

— Para ser franco, patrão — replicou Albert num tom de quem pede desculpas —, já sei quase tudo. Vendo que era a respeito da patroa e tudo o mais, tomei a liberdade de escutar na extensão do quarto de dormir. Achei que o senhor não se importaria.

— Compreendo perfeitamente — respondeu Tommy. — E, no fundo, até agradeço. Se eu tivesse que começar a explicar...

— Chamou todo mundo, não foi? O hospital, o médico e a enfermeira-chefe.

— Não há necessidade de recapitular tudo de novo.

— Hospital de Market Basing — comentou Albert. — Ela nunca mencionou nada. Nem sequer deixou o endereço ou qualquer coisa assim.

— Ela não imaginou que ia ser um endereço — disse Tommy. — Pelo que entendi, provavelmente recebeu uma pancada na cabeça em algum lugar remoto. Alguém então levou-a de carro e largou-a à beira da estrada, num ponto qualquer, para ser encontrada como vítima de algum motorista irresponsável. — Acrescentou: — Me chame às 6h30, amanhã de manhã. Quero partir bem cedo.

— Desculpe a galinha queimada de novo no forno. Só botei lá para ficar quente e acabei esquecendo.

— Deixe as galinhas para lá. Sempre achei que eram umas idiotas, correndo debaixo dos automóveis e cacarejando por aí. Enterre o cadáver amanhã de manhã e organize um bom enterro.

— Ela não está à beira da morte ou troço parecido, não é, patrão? — indagou Albert.

— Controle suas tendências melodramáticas — replicou Tommy. — Se você tivesse escutado direito, saberia que já recobrou completamente os sentidos, sabe quem é ou era, onde está e que eles me juraram que vão prendê-la na cama até que eu chegue para me encarregar dela outra vez. Sob hipótese alguma poderá sair do hospital para andar metida feito boba em trabalho de detetive.

— Por falar em trabalho de detetive — disse Albert, hesitando e pigarreando de leve.

— Não estou nada disposto a entrar nesse assunto — advertiu Tommy. — Esqueça-se disso, Albert. Aprenda contabilidade, dedique-se à jardinagem, faça o que quiser.

— Bem, apenas pensei... quero dizer, em matéria de pistas...

— Sim, o que tem isso?

— Estive pensando.

— É de onde se originam todos os problemas da vida. Pensar.

— Pistas — repetiu Albert. — Aquele quadro, por exemplo, é uma, não é?

Tommy reparou que Albert tinha pendurado na parede a pintura da casa do canal.

— Se o quadro serve de pista para alguma coisa, que espécie de pista o senhor acha que é? — Ficou um pouco encabulado com a deselegância da frase. — Quero dizer... a que se refere? Devia significar alguma coisa. O que eu estava pensando — continuou Albert —, se me permite insistir...

— Desembuche logo, Albert.

— O que eu estava pensando era na escrivaninha.

— Escrivaninha?

— Sim. A que veio no caminhão de mudança junto com a pequena mesa, as duas cadeiras e as outras coisas. O senhor disse que eram bens de família, não foi?

— Pertenciam a minha tia Ada — explicou Tommy.

— Pois é isso que eu quero dizer, patrão. É o tipo de lugar onde a gente descobre pistas. Em escrivaninhas velhas. Antiguidades.

— Possivelmente — concordou Tommy.

— Não era da minha conta, eu sei, e creio que realmente não devia andar remexendo nela, mas enquanto o senhor esteve fora, não resisti. Tive de dar uma olhada.

— Onde? Dentro da escrivaninha?

— Sim, só para ver se não continha alguma pista. O senhor sabe, escrivaninhas como aquela costumam ter gavetas secretas.

— Pode ser — retrucou Tommy.

— Pois então. Talvez haja uma pista escondida lá dentro. Encerrada na gaveta secreta.

— A ideia não é ruim — disse Tommy. — Porém, não conheço nenhum motivo que levasse tia Ada a esconder coisas em gavetas secretas.

— Com gente velha, nunca se sabe. Gostam de guardar coisas. São que nem uma espécie de passarinho que não lembro bem o nome. Talvez haja um testamento secreto ali dentro ou qualquer coisa escrita com tinta invisível. Algum tesouro. O tipo de lugar para se encontrar um tesouro oculto.

— Desculpe, Albert, mas acho que vou ter de decepcioná-lo. Tenho certeza absoluta de que não existe nada dessa espécie naquela simpática escrivaninha velha de família que antigamente pertencia ao tio Wiliam, outro que ficou rabugento na velhice, além de ser surdo como uma porta e ter um mau gênio danado.

— O que eu pensei foi que não faria mal nenhum em dar uma olhada, não é mesmo? — disse Albert. — Seja como for, estava precisando de uma limpeza. O senhor sabe como são as idosas com coisas velhas. Nunca se lembram de remexer nelas... principalmente se sofrem de reumatismo e têm problema para se locomover.

Tommy ficou calado por um instante. Recordava-se de que Tuppence e ele tinham examinado rapidamente as gavetas da escrivaninha, guardando o conteúdo em dois envelopes grandes e retirando um punhado de meadas de lã, dois casaquinhos de malha, uma estola de veludo preto e três fronhas de travesseiro em excelente estado das gavetas de baixo, que juntaram com outras peças de roupa e bugigangas para entregar a alguma instituição de caridade. E depois de chegarem em casa também haviam revistado os papéis que estavam dentro dos envelopes. Não continham nada de interesse especial.

— Já examinamos tudo, Albert — disse. — Até passamos duas noites fazendo isso. Uma ou duas cartas antigas bastante curiosas, algumas receitas de como preparar presunto, outras de conserva de frutas, um punhado de talões de racionamento e cupões, ainda do tempo da guerra. Nada de interesse.

— Ah, aquilo — retrucou Albert —, mas são só papéis e coisas, pode-se dizer. O tipo de troço que todo mundo guarda trancado em escrivaninhas e gavetas. Eu me refiro a um negócio de fato secreto. Quando eu era garoto, sabe, trabalhei seis meses com um antiquário... a maior parte do tempo ajudando a falsificar coisas. Mas foi assim que aprendi sobre gavetas secretas. Em geral, sempre usam o mesmo tipo de esconderijo. Três ou quatro espécies bem conhecidas e de vez em quando variam. O senhor não acha, patrão, que devia dar uma olhada? Olhe, eu não quis fazer nada sem que estivesse comigo. Seria muita ousadia.

Fitava Tommy com ar de cão suplicante.

—Venha, Albert — respondeu Tommy, cedendo. — Vamos ousar de uma vez.

— Móvel muito bonito — comentou, parado ao lado de Albert, observando aquele exemplar da herança de tia Ada. — Bem conservado, com belo verniz antigo, demonstrando o acabamento e a perícia de uma época passada. Então, Albert — disse —, mãos à obra. Divirta-se à vontade. Mas não vá forçar nada.

— Oh, tive o máximo cuidado. Não fiz nenhuma racha, nem enfiei facas ou qualquer coisa parecida. Antes de mais nada, deixa-se cair a tampa, prendendo estas duas chapinhas que ficam salientes. Assim, oh, está vendo? A tampa desce por aqui e abre lugar para a mesa onde a velha costumava se sentar. Bonito estojinho de madrepérola para mata-borrões que sua tia Ada tinha. Estava na gaveta do lado esquerdo.

— E essas duas coisas? — perguntou Tommy.

Puxou duas delicadas gavetas verticais, rasas e em forma de pilastra.

— Ah, essas, patrão. A gente pode guardar papéis nelas, mas não têm nada de secretas. O lugar mais indicado é abrir o armariozinho do meio... e depois, no fundo, geralmente tem uma pequena depressão, que a gente faz correr para o lado e encontra um espaço. Porém, há outros modos e lugares. Esta escrivaninha é daquelas que têm uma espécie de vão por baixo.

— Não me parece tampouco muito secreto, hein? Basta correr para o lado um caixilho...

— O importante é que aparenta não conter mais nada do que a gente vê. Recua-se o caixilho, lá está a cavidade, e pode-se esconder uma porção de coisas se não se quer que sejam manuseadas e tudo o mais. Mas não fica só nisso, como vê. Porque, olhe aqui, tem este pedacinho de madeira na frente, como uma pequena saliência. E se a gente quiser, levanta. Viu?

— Sim — disse Tommy —, estou vendo. Basta levantar.

— E surge uma cavidade secreta aqui, logo atrás da fechadura do meio.

— Mas aí não tem nada.

— Não — concordou Albert —, parece decepcionante. Mas quando se enfia a mão nessa cavidade e se mexe lá dentro, tanto para a esquerda como para a direita, encontram-se duas gavetinhas minúsculas, uma de cada lado. Há um pequeno semicírculo recortado por cima, e pode-se enganchar o dedo por ali... e puxar devagarinho... — Durante esses comentários, Albert dava a impressão de colocar o pulso numa posição quase de contorcionista. — Às vezes, emperram um pouco. Espere... espere... está saindo.

O indicador de Albert retirava qualquer coisa do interior. Prendeu-a delicadamente até que a gavetinha estreita apareceu na abertura. Tirou-a e colocou-a diante de Tommy, com o ar de um cão que traz o osso ao dono.

— Agora espere um instante, patrão. Aqui tem uma coisa embrulhada num envelope fino e comprido. Vamos examinar o outro lado.

Trocou de mão e recomeçou os movimentos de contorcionista. Dali a pouco saía uma segunda gaveta, que foi colocada ao lado da primeira.

— Aqui tem alguma coisa também — anunciou Albert. — Outro envelope lacrado que alguém escondeu numa determinada ocasião. Não tentei abrir nenhum dos dois... não faria uma coisa dessas. — Adotara uma voz extremamente virtuosa. — Deixei isso para o senhor... Mas é como eu digo... podem ser *pistas*...

Juntos, ele e Tommy retiraram o conteúdo das gavetas empoeiradas. Tommy pegou um envelope lacrado, enrolado pelo comprido, preso por um elástico que rebentou ao primeiro contato.

— Parece importante — comentou Albert.

Tommy examinou o envelope. O cabeçalho dizia "Confidencial".

— Está vendo? — disse Albert. — "Confidencial." É uma pista.

Tommy abriu o envelope. Havia meia folha de papel, coberta por uma caligrafia desbotada, e muito irregular, por sinal. Tommy virou-a de ambos os lados, enquanto Albert, inclinado sobre seu ombro, respirava ofegante.

— Receita para Creme de Salmão da sra. MacDonald — leu Tommy. — Recebida por deferência toda especial. Toma-se um quilo de salmão cortado em fatias, meio litro de leite, um cálice de conhaque e um pepino cru. — Interrompeu a leitura: — Desculpe, Albert, mas esta pista sem dúvida alguma só nos pode levar à cozinha.

Albert dava sonoras demonstrações de desagrado e decepção.

— Não faz mal — disse Tommy. — Vejamos a outra.

O segundo envelope lacrado não parecia tão antigo quanto o primeiro. Tinha dois sinetes de cera cinza-clara, cada um representando uma rosa silvestre.

— Bonito — comentou Tommy —, mas um tanto extravagante para a tia Ada. No mínimo é a receita de algum bolo de carne.

Rasgou a ponta do envelope. Arqueou as sobrancelhas. Caíram do interior dez notas de cinco libras cuidadosamente dobradas.

— Dinheiro ainda do tempo do papel bom — observou. — São cédulas antigas. Sabe, do tipo que havia durante a guerra. Papel decente. Provavelmente hoje em dia não vale mais nada.

— Dinheiro! — exclamou Albert. — Para que ela queria todo esse dinheiro?

— Ora, é um pé de meia de velha — explicou Tommy. — Tia Ada sempre teve um. Anos atrás ela me disse que toda mulher devia sempre ter cinquenta libras em notas de cinco para qualquer emergência.

— Bem, calculo que ainda possam ser úteis — aprovou Albert.

— É, não creio que estejam completamente obsoletas. Acho que se pode dar um jeito de trocá-las num banco.

—Tem mais um — preveniu Albert. — O que estava na outra gaveta...

Esse era mais volumoso. Parecia conter muito mais coisas e ostentava três grandes lacres vermelhos de aspecto solene. Por fora, com a mesma caligrafia desigual, dizia: "Na eventualidade de minha morte, este envelope deverá ser remetido fechado como está ao meu advogado, o sr. Rockbury, da firma Rockbury & Tomkins, ou ao meu sobrinho Thomas Beresford. Não poderá ser aberto por nenhuma pessoa desautorizada."

Havia diversas folhas de papel escritas de maneira compacta. A caligrafia era ruim, muito pontiaguda e, em certos trechos, bastante ilegível. Tommy teve um pouco de dificuldade para ler o texto em voz alta.

"*Eu, Ada Maria Fanshawe, deixo aqui por escrito certos assuntos que chegaram ao meu conhecimento e que me foram relatados por pessoas que estão residindo nesta casa de saúde chamada Sunny Ridge. Não posso afiançar que qualquer parte desta informação seja correta, mas tudo leva a crer que atividades suspeitas — e provavelmente criminosas —*

estejam ocorrendo ou tenham ocorrido neste asilo. Elizabeth Moody, uma mulher néscia, mas que não creio que seja mentirosa, declara que reconheceu uma famosa figura criminosa nesta instituição. Pode ser que exista alguém administrando veneno entre nós. Prefiro guardar a calma, porém me conservarei vigilante. Proponho-me a registrar quaisquer fatos que cheguem ao meu conhecimento. Tudo talvez não passe de confusão. Seja como for, solicito que meu advogado ou meu sobrinho Thomas Beresford providenciem as devidas sindicâncias."

— Está vendo! — exclamou Albert, triunfante. — Eu não disse? É uma PISTA!

Quarta parte

Passa passará, o de trás ficará
A porteira está aberta para
quem quiser passar

14

Um exercício de raciocínio

— Acho que o que nós deveríamos fazer era pensar — disse Tuppence.

Após a alegre reunião no hospital, terminara recebendo alta condignamente. O inseparável casal trocava impressões na sala de estar do melhor apartamento do "Cordeiro e Estandarte" em Market Basing.

— Nada disso — retrucou Tommy. —Você sabe o que o médico disse antes de sair do hospital. Nenhuma preocupação, nenhuma fadiga mental, pouquíssima atividade física... levar tudo na calma.

— E o que é que eu estou fazendo neste momento? — perguntou Tuppence. — De pernas para cima e com a cabeça em duas almofadas? E quanto a pensar, não se trata obrigatoriamente de esforço cerebral. Não estou estudando matemática e economia, nem somando contas domésticas. Pensar consiste apenas num confortável repouso enquanto o espírito mantém as antenas abertas para a eventualidade de captar algo de interesse ou importância flutuando no ar. Seja como for, não prefere que eu fique aqui matutando de pernas para cima e com a cabeça em almofadas do que andando por aí de novo, à cata de ação?

— Quanto a isso, nem se discute — concordou Tommy. — Está fora de cogitação, ouviu? Fisicamente, Tuppence, você vai ficar quietinha. Se possível, não te perderei de vista, pois não confio em você.

— Muito bem. Fim da preleção. Agora pensemos. Juntos, hein? Não ligue para o que o doutor disse. Se você soubesse o que eu sei sobre os médicos...

— Não se preocupe com eles. Faça o que *eu* lhe digo.

— Está bem. De momento não tenho a mínima vontade de praticar atividade física, posso garantir. O problema é que precisamos conversar. Descobrimos uma porção de coisas. Esse negócio está mais confuso que dia de feira na roça.

— O que é que você quer dizer com "coisas"?

— Fatos, ora. De tudo quanto é espécie. Em profusão. E não só fatos... Disse me disse, insinuações, lendas, falatório. O conjunto se assemelha a um balde de farelo cheio de embrulhos de todo tipo, enfiados na serragem.

— Serragem é a palavra — anuiu Tommy.

— Não sei muito bem se você está me insultando ou sendo modesto. De qualquer modo, concorda comigo, não? Há coisas *de sobra*. Erradas e certas, importantes e insignificantes, na maior mixórdia possível. Não se sabe por onde começar.

— Eu sei — disse Tommy.

— Ah, é? Por onde?

— Pela pancada que você recebeu na cabeça.

Tuppence hesitou um instante.

— Francamente, não vejo como isso possa servir de ponto de partida. Quer dizer, foi a última coisa que aconteceu, não a primeira.

— Pois no meu modo de entender, pode. Não vou deixar que andem por aí batendo na cabeça de minha mulher. E é um ponto *real* para começar. Não se trata de imaginação. Foi uma coisa *real* que *realmente* aconteceu.

— Concordo em gênero, número e grau — declarou Tuppence. — De fato, aconteceu. E comigo. Não esqueci, não. Estive pensando nisso... Isto é, desde que recuperei a capacidade de pensar.

— Tem alguma ideia de quem possa ter sido?

— Infelizmente, não. Estava curvada, examinando um túmulo e, de repente, bum!

— Quem seria?

— Imagino que alguém de Sutton Chancellor. E, no entanto, parece tão implausível... Mal falei com aquela gente.

— O pastor?

— Não pode ser ele — afirmou. — Primeiro, porque é um velhote muito simpático. Segundo, porque nunca teria força suficiente. E, terceiro, porque tem uma respiração tremendamente asmática. Jamais chegaria de mansinho atrás de mim sem que eu ouvisse.

— Nesse caso, se você deixa de fora o pastor...

—Você não?

— Bem — replicou Tommy —, sim, deixo. Como você sabe, fui procurá-lo e falei com ele. Há anos que mora aqui, e todo mundo o conhece. É possível que a própria encarnação do demônio fosse capaz de bancar um pastor bondoso, mas não por mais de uma semana no máximo, creio eu. Nunca durante cerca de dez ou doze anos.

— Bem, então o próximo suspeito seria a srta. Bligh. Nellie Bligh. Embora por que, só Deus saiba. Não podia supor que eu estivesse tentando roubar um túmulo.

— Acha que tenha sido ela?

— Olhe, realmente não. É *competente*, lógico. Se quisesse me seguir, para verificar o que eu andava tramando e desferir a pancada, lograria pleno êxito. E, que nem o pastor, estava lá... no local... em Sutton Chancellor, entrando e saindo de sua casa a toda hora, ocupada numa coisa ou outra. Podia ter me visto no cemitério, aproximar-se pelas minhas costas, sem o menor ruído, só por curiosidade, ver que eu examinava uma sepultura, achar, por um motivo qualquer, que eu não tinha o direito de fazer aquilo e me bater com um dos vasos de metal para flores da igreja ou o que estivesse mais à mão. Agora não me pergunte *por quê*. Não há nenhuma razão aparente.

— E depois quem, Tuppence? A sra. Cockerell,[*] não é assim que ela se chama?

— Sra. Copleigh. Não, não poderia ser ela.

---

[*] Sra. Cockerell: Dona Franga. (N. do T.)

— Ora, como é que você tem tanta certeza assim? Ela mora em Sutton Chancellor, podia ter notado quando saiu da casa e simplesmente ido atrás.

— Quanto a isso não há dúvida. Só que é muito tagarela.

— Não vejo nenhuma relação.

— Se a escutasse conversar a noite inteira, como eu, logo perceberia que alguém que fala tanto que nem ela, sem parar, numa fluência constante, nunca poderia ser também uma mulher de ação! Jamais conseguiria se *aproximar* de mim sem gritar a plenos pulmões.

Tommy ponderou o argumento.

— Muito bem — disse. — Você possui bom discernimento para esse tipo de coisa, Tuppence. Rejeitemos a sra. Copleigh. Quem é que sobra?

— Amos Perry. É o homem que mora na Casa do Canal. (Tenho de chamá-la assim porque tem uma porção de outros nomes. E esse foi o primeiro que recebeu.) O marido da bruxa camarada. Há alguma coisa estranha com ele. É um pouco retardado e um verdadeiro homenzarrão. Se quisesse, podia bater na cabeça de qualquer pessoa e até acho que em certas circunstâncias possivelmente gostaria de fazê-lo... embora não possa entender por que motivo escolheria logo *eu*. No fundo representa uma melhor hipótese que a srta. Bligh, que me parece apenas uma dessas criaturas cansativas e eficientes que andam de um lado para o outro dirigindo paróquias e metendo o bedelho em tudo. Não é de modo algum o tipo que chegaria ao extremo de uma *agressão* física, a não ser que tivesse uma razão desvairadamente emotiva. Sabe — acrescentou, com ligeiro tremor —, fiquei assustada da primeira vez que o vi. Ele estava me mostrando o jardim. De repente senti que... bem, que não me agradaria cair nas más graças dele... ou encontrá-lo numa rua deserta à noite. Me pareceu um sujeito pouco dado a acessos de violência, mas que seria capaz disso, se alguma coisa o arrastasse nesse sentido.

— Muito bem — disse Tommy. — Amos Perry. Número um.

— E tem a esposa — continuou Tuppence devagar. — A bruxa camarada. Foi simpática e gostei dela... não quero que tenha sido ela... não acho que tenha sido *ela*, mas tenho a impressão de que anda envolvida em alguma coisa... Algo relacionado com aquela casa. Esse é outro problema, sabe, Tommy?... Não se sabe qual é o detalhe mais importante em tudo isso... Comecei a imaginar se tudo não se concentra em torno daquela *casa*... se não será a *casa* o ponto de convergência. O quadro... Aquele quadro só pode ter um significado, não é, Tommy? Estou certa de que sim.

— Sim — concordou Tommy —, acho que tem.

—Vim para cá à procura da sra. Lancaster... mas aqui parece que ninguém jamais ouviu falar dela. Fiquei pensando se não havia entendido errado... que a sra. Lancaster estava em perigo (porque ainda creio piamente nisso) *por possuir aquele quadro*. Acho que *ela* nunca esteve em Sutton Chancellor... apenas ganhou, ou mesmo comprou, um quadro de uma casa daqui. E esse quadro possui um *significado*... de certo modo representa uma ameaça para alguém. Dona Chocolate... A sra. Moody... disse à tia Ada que tinha reconhecido uma pessoa em Sunny Ridge... alguém relacionado com "atividades criminosas". Tenho a impressão de que essas atividades estão ligadas ao quadro e à Casa do Canal. E a uma criança que talvez haja sido assassinada lá. Tia Ada admirou o quadro da sra. Lancaster... e ganhou-o de presente... Quem sabe se a sra. Lancaster não falou sobre ele... onde o tinha conseguido, ou quem lhe dera e onde a casa ficava... A sra. Moody foi morta porque reconheceu decididamente alguém que estivera "ligado a atividades criminosas". Conte de novo a conversa que você teve com o dr. Murray — pediu Tuppence. — Depois de explicar o que sucedera com a Dona Chocolate, ele passou a enumerar certos tipos de assassinos, citando exemplos da vida real. Uma mulher que dirigia uma casa de saúde para pessoas idosas... recordo vagamente que li alguma coisa a respeito, só que não consigo me lembrar do nome da fulana. A ideia era fazer com que lhe entregassem todo o dinheiro que tinham para poderem morar lá até a morte, com boa comida e bons cuidados e sem se preocuparem com problemas financeiros. E *viviam* muito felizes... com o único inconveniente de que morriam geralmente em menos de um ano... tranquilos em seu sono. E finalmente começaram a desconfiar. A mulher foi processada e condenada por homicídio... Porém, não teve o menor remorso, protestando que praticara um ato de bondade com os pobres coitados.

— Sim. Isso mesmo — confirmou Tommy. — Também não consigo me lembrar do nome dela.

— Bem, não tem importância. E depois ele citou outro caso. De uma empregada doméstica, cozinheira ou governanta. Costumava trabalhar para diversas famílias. Parece que às vezes não acontecia nada, mas noutras ocorria uma espécie de envenenamento em massa. Na comida, segundo consta. Tudo com sintomas bastante razoáveis. Algumas pessoas se salvavam.

— Ela preparava os sanduíches — explicou Tommy —, arrumava em pacotes e entregava para levarem em piqueniques. Era muito boazinha, dedicada, e quando acontecia um envenenamento em massa também sofria dos mesmos sintomas e efeitos. Provavelmente exagerando um pouco. Aí, no fim de tudo, ia embora empregando-se noutra casa, numa parte bem diferente da Inglaterra. A coisa continuou durante anos a fio.

— Exato, tem razão. Ninguém, creio eu, pode jamais entender *por que* ela fazia aquilo. Será que se transformou numa espécie de mania... de hábito? Será que se divertia com isso? Ninguém realmente jamais soube. Parece que não nutria nenhum ressentimento pessoal contra qualquer uma das vítimas. Decerto não regulava bem.

— É. Creio que não, mesmo, embora eu ache que depois de longa análise um desses psiquiatras terminaria descobrindo que tudo era devido a um canário pertencente a uma família que ela conhecera há muitos anos, na infância, e que lhe causou um trauma, um susto ou troço parecido. Mas, seja como for, creio que deve ter sido uma coisa assim.

— A terceira era ainda mais estrambótica — lembrou Tommy. — Uma francesa que tinha sofrido terrivelmente com a perda do marido e da filha. Ficou desconsolada e se converteu num anjo de piedade.

— Justo. Agora me lembro. Em qualquer aldeia que ela surgia, era logo apelidada de anjo. *Givon*, ou algo parecido. Oferecia-se para cuidar dos vizinhos quando adoeciam. Principalmente quando se tratava de crianças. Dedicava-se de corpo e alma. Mas cedo ou tarde, depois de aparentes melhoras, pioravam e morriam. Passava horas chorando no enterro, e todos diziam que não sabiam o que teriam feito sem o anjo que cuidara tanto de seus adorados filhos.

— Por que você quer recapitular tudo isso, Tuppence?

— Estou pensando se o dr. Murray teria algum motivo para mencionar esses casos.

—Você quer dizer que ele relacionou...

—Tenho a impressão de que ele tomou três exemplos clássicos e famosos e tentou comparar, por assim dizer, para ver se algum se adaptava a Sunny Ridge. Na minha opinião, de certo modo, qualquer um serviria. A srta. Packard personifica o primeiro. A eficiente diretora de um asilo.

—Você realmente tem implicância com aquela mulher. Sempre simpatizei com ela.

— Não nego que muita gente *simpatizou* com assassinos — retrucou Tuppence, com toda a razão. — É que nem os trapaceiros e vigaristas que sempre têm cara de inocentes e parecem honestos. Eu até afirmaria que todos os criminosos dão a impressão de serem muito bonzinhos e especialmente sensíveis. Esse tipo de coisa. Seja como for, a srta. Packard é a própria eficiência em pessoa e dispõe de todos os recursos para provocar uma bela morte natural sem despertar suspeitas. E somente alguém como a Dona Chocolate poderia desconfiar dela. E isso porque também era um pouco aloprada e compreendia perfeitamente esse tipo de mentalidade. Ou talvez já a tivesse encontrado antes em outro lugar.

— Não creio que a srta. Packard lucrasse financeiramente com qualquer uma das mortes das velhas pensionistas.

—Você não tem como saber. Seria um modo mais inteligente de agir, *não* se beneficiar com todas. Bastava selecionar uma ou duas, que fossem ricas e lhe deixassem bastante dinheiro, e ao mesmo tempo ter sempre algumas mortes perfeitamente naturais e que não proporcionassem nenhuma vantagem. Portanto, você vê, eu acho que o dr. Murray talvez... *talvez*, note-se... lançasse um olhar para a srta. Packard e dissesse consigo mesmo: "Bobagem, estou imaginando coisas." Mas mesmo assim a ideia ficou gravada na sua cabeça. O segundo caso que ele mencionou encaixaria numa empregada doméstica, uma cozinheira, ou até qualquer espécie de enfermeira profissional. Alguém que trabalhasse no local, uma mulher de meia-idade, de confiança, porém maluca dessa maneira toda especial. Talvez acostumada a sentir certos rancores e antipatias por determinadas pacientes. Não podemos adivinhar quem possa ser porque não creio que conheçamos ninguém suficientemente...

— E o terceiro?

—Ah, esse é mais difícil — confessou Tuppence. — Uma pessoa devotada. Dedicada.

— Quem sabe ele apenas acrescentou esse por desencargo de consciência — sugeriu Tommy. E depois lembrou: — O que me diz daquela enfermeira irlandesa?

—A boazinha, a quem demos a estola de pele?

— Sim, aquela de quem tia Ada gostava. A extremamente simpática. Parecia gostar de todas, lamentando muito quando morriam. Estava muito inquieta quando conversou conosco, não estava? Você até comentou... ia embora e não chegou realmente a explicar por quê.

— Calculo que pudesse ser um tipo neurótico. De modo geral, as enfermeiras não são tão sentimentais. Não é bom para os doentes. Devem ser calmas, eficientes e inspirar confiança.

— A enfermeira Beresford com a palavra — brincou Tommy, dando um sorriso.

— Mas voltando ao quadro — continuou Tuppence. — Que tal se nos concentrássemos nele? Achei muito interessante o que você me contou sobre a sra. Boscowan, quando foi visitá-la. Ela parece... parece *fascinante*.

— E é mesmo — confirmou Tommy. — Sem sombra de dúvida, a pessoa mais fascinante que encontramos nesta história bizarra. O tipo de criatura que dá a impressão de *saber* coisas, mas não por pensar nelas. Parecia ter conhecimento de algo a respeito daquele lugar que eu não sabia e que você talvez também não. Porém ela sabe de *alguma coisa*.

— Estranhei o que ela disse sobre o barco — frisou Tuppence. — Que o quadro antes não tinha nenhum. Por que você julga que agora tenha?

— Ah, não sei.

— Havia algum nome pintado no casco? Não me recordo de ter visto nenhum... mas é verdade que nunca examinei muito detidamente.

— Está escrito *Waterlily*.

— Muito apropriado para um barco... O que é que isso me faz lembrar?

— Não tenho a mínima ideia.

— E estava absolutamente certa de que o marido não o pintara?... Ele podia ter acrescentado mais tarde.

— Diz ela que *não*... com absoluta certeza.

— Existe, lógico, outra possibilidade que ainda não esmiuçamos. A respeito da pancada que me deram, quero dizer... um intruso... alguém que talvez me seguisse até aqui desde Market Basing naquele dia, para ver o que eu andava tramando. Porque eu estive lá, pedindo todas aquelas informações. Percorrendo os corretores de imóveis, um por um. Me dissuadiram de alugar a casa. Mostraram-se esquivos. Mais do que seria normal. O mesmo tipo de evasiva que recebemos quando procuramos averiguar o paradeiro da sra. Lancaster. Advogados e bancos, um proprietário com quem não se pode entrar em contato porque mora no exterior. A mesma espécie de *esquema*. Quem sabe não mandaram alguém atrás do meu carro, para ver o que eu estava fazendo e no momento oportuno desferir a pancada. O que nos traz de volta — lembrou Tuppence — ao túmulo no cemitério. Por que não queriam que eu examinasse as sepulturas antigas? De qualquer jeito, já estavam espalhadas pelos cantos... talvez um bando de moleques, fartos de quebrar cabines telefônicas, tenha entrado lá para se divertir, cometendo sacrilégios à porta da igreja.

— Você diz que havia palavras pintadas... ou mal gravadas na pedra?

— Sim... talhadas com um cinzel, parece. Alguém que fez o trabalho mal e porcamente. O nome... Lily Waters... e a idade... sete anos... esses estavam legíveis... e depois os outros fragmentos de palavras... Parecia algo como "Ai de quem..." seguido por "escandalizar"... "inocentes" ... e... "mó"...

— Parece familiar.

— Não é para menos. Decididamente bíblico... mas gravado por alguém que não se lembrava direito da frase...

— Tudo muito estranho...

— E por que haviam de se opor?... Eu estava apenas ajudando o pastor... e o coitado que anda em busca da filha perdida... Pronto, cá estamos nós... de volta à criança desaparecida... A sra. Lancaster citou uma emparedada numa lareira, e a sra. Copleigh tagarelou a respeito de freiras encerradas em muros e crianças assassinadas, e uma mãe que matou uma filha de colo, e de um amante, um bastardo e um suicídio... Tudo numa série de histórias, boatos, falatórios e lendas, misturados na mais gloriosa confusão! Seja como for, Tommy, houve um *fato* verdadeiro... não apenas disse me disse ou fofoca...

— Refere-se a...

— À boneca esfarrapada que caiu da chaminé na Casa do Canal... Um brinquedo de criança. Estava lá havia anos, toda coberta de fuligem e entulho...

— Pena que não a tenhamos — disse Tommy.

— *Eu* tenho! — exclamou Tuppence, triunfante.

—Você a trouxe?

— Sim. Aquilo me impressionou, sabe? Achei melhor trazer para examinar. Ninguém fez a menor questão de guardá-la. Os Perry no mínimo iam jogar logo na lata de lixo. Vou buscá-la.

Levantou-se do sofá, foi até a mala, remexeu um pouco e depois retirou algo embrulhado em papel de jornal.

— Cá está, Tommy. Dê uma olhada.

Com certa curiosidade, Tommy desfez o pacote. Retirou cuidadosamente os destroços de uma boneca infantil. Os braços e as pernas balançavam, frouxos. Festões de pano desbotados se desfaziam ao serem tocados. O corpo parecia feito de um couro de camurça muito fino, costurado a um miolo que outrora estivera repleto de serragem, porém no momento cedia aqui e ali por onde ela se escoara. Quando Tommy segurou-a, da maneira mais delicada possível, o corpo subitamente se desintegrou, dobrando-se numa grande chaga que deixou passar um punhado de serragem junto com pequenos seixos que se espalharam por todos os cantos do assoalho. Tommy pôs-se a recolhê-los com o maior cuidado.

— Santo Deus! — murmurou. — Santo Deus!

— Que esquisito — comentou Tuppence —, está cheia de pedrinhas. Será que foi um pedaço da chaminé que desmoronou? O reboco ou qualquer coisa que caiu?

— Não — disse Tommy. — Estavam *dentro* da boneca.

Depois de juntar todas com cuidado, enfiou o dedo na carcaça da boneca, e novas pedrinhas caíram. Aproximou-se da janela e examinou-as contra a luz. Tuppence o observava, sem entender nada.

— Que ideia mais engraçada, encher uma boneca de pedrinhas — comentou.

— Bem, não se trata exatamente de um tipo comum de pedrinhas. Calculo que tivessem um bom motivo para fazer isso.

— O que é que você quer dizer?

— Dê uma olhada. Pegue um punhado.

Apanhou algumas na mão dele com uma expressão intrigada.

— Não passam de simples seixos. Uns grandes e outros menores. Por que ficou tão agitado?

— Porque começo a compreender tudo, Tuppence. Não são seixos coisa nenhuma, minha cara. São *diamantes*.

15

Reunião no vicariato

— Diamantes! — exclamou Tuppence boquiaberta.

Desviando os olhos de Tommy para os seixos que ainda segurava na mão, perguntou:

— Estas coisas cobertas de poeira, *diamantes*?

Tommy confirmou com a cabeça.

— Agora começa a ficar compreensível, Tuppence. Tudo se explica. A Casa do Canal. O quadro. Espere até Ivor Smith ficar sabendo desta boneca. Ele já tem um buquê à sua espera, Tuppence...

— A troco de quê?

— Por ajudar a prender uma grande quadrilha de criminosos!

—Você e seu Ivor Smith! No mínimo foi onde você andou durante a semana passada, me abandonando nos meus últimos dias de convalescença naquele hospital horroroso... justamente quando eu mais precisava de uma boa conversa e muito estímulo.

— Fui te ver nas horas de visita praticamente todas as tardes.

— Não me contou grande coisa.

— Fui prevenido por aquela fera de irmã para não te deixar agitada. Mas o próprio Ivor vai vir aqui depois de amanhã e já preparamos uma pequena reunião social no vicariato.

— Quem irá?

— A sra. Boscowan, um dos grandes proprietários de terras local, sua amiga, a srta. Nellie Bligh, o pastor, lógico, você e eu...

— E o sr. Ivor Smith... qual é o verdadeiro nome dele?

— Ao que me consta, Ivor Smith.

—Você é sempre tão prudente...

Deu uma gargalhada repentina.

— De que está rindo?

— Eu me lembrei de como gostaria de ter visto você descobrindo gavetas secretas junto com Albert na escrivaninha da tia Ada.

— O mérito foi inteiramente dele. Precisava ouvir a preleção que fez sobre o assunto. Diz que aprendeu tudo na juventude, com um antiquário.

— Imagine, tia Ada realmente deixando um documento sigiloso como aquele, todo lacrado. No fundo aposto como não sabia de nada, porém estava pronta para acreditar que havia alguém perigoso em Sunny Ridge. Será que percebeu que era a srta. Packard?

— Isso não passa de mera conjectura sua.

— Muito boa, por sinal, já que estamos à procura de uma quadrilha de criminosos. Eles necessitariam de um lugar como Sunny Ridge, respeitável e bem administrado, com uma assassina competente na chefia. Alguém com todas as qualificações para ter acesso a entorpecentes na hora que quisesse. E que aceitasse quaisquer mortes que ocorressem ali como perfeitamente normais, influenciando assim um médico a crer que não tinham nada de mais.

— Você pensou em cada detalhe, mas na verdade o único motivo que a levou a desconfiar da srta. Packard foi que não gostou dos dentes dela...

— *Para comer você melhor* — repetiu Tuppence, pensativa. — Te digo ainda mais, Tommy...Vamos supor que esse quadro... o da Casa do Canal... *nunca tivesse pertencido à sra. Lancaster...*

— Porém nós sabemos que pertencia — retrucou Tommy, olhando para ela.

— Não sabemos coisa nenhuma. Sabemos apenas o que a srta. Packard disse... Foi ela quem contou que a sra. Lancaster tinha dado o quadro para a tia Ada.

— Mas por que iria...— interrompeu a frase.

— Talvez por isso mesmo a sra. Lancaster fosse levada embora... para que não dissesse que ele não lhe pertence e que não tinha dado para a tia Ada.

— Acho essa ideia extravagante demais.

— Pode ser... No entanto, o quadro foi pintado em Sutton Chancellor... A casa que aparece nele é uma que existe em Sutton Chancellor... Temos motivo para acreditar que ela é... ou foi... usada como esconderijo por uma associação de criminosos... que, segundo tudo indica, são chefiados pelo sr. Eccles, o homem responsável por mandar a sra. Johnson buscar a sra. Lancaster. Não creio que a sra. Lancaster jamais tenha posto os pés em Sutton Chancellor, estado na Casa do Canal ou possuído o quadro... embora eu ache que ouviu alguém comentar isso em Sunny Ridge... Dona Chocolate, talvez? Por isso começou a tagarelar, o que era arriscado, e assim teve de ser removida. Mas um dia hei de encontrá-la! Anote bem o que eu estou dizendo, Tommy.

— As aventuras da sra. Thomas Beresford.

II

— A senhora está com um aspecto ótimo, sra. Tommy — comentou o sr. Ivor Smith.

— Estou me sentindo perfeitamente bem de novo — retrucou Tuppence. — Que idiotice a minha andar por aí recebendo pancadas, não é mesmo?

— Merece uma medalha... Principalmente por causa da boneca. Só queria saber como faz para descobrir essas coisas!

— É um legítimo perdigueiro — afirmou Tommy. — Põe o focinho no rastro e sai atrás.

— Vocês não pretendem me excluir dessa reunião logo mais, hein? — disse Tuppence, desconfiada.

— Claro que não. Esclarecemos uma série de coisas, sabe? Não podem imaginar como me sinto grato a ambos. Note-se que nos estávamos aproximando *um pouco* desse bando de criminosos espantosamente astuto, responsável por uma fantástica quantidade de roubos durante os últimos cinco ou seis anos. Conforme revelei a Tommy, quando veio me perguntar se eu sabia algo a respeito do nosso esperto sr. Eccles, há muito andávamos de olho nele, porém não é o tipo de pessoa contra quem seja fácil obter provas. É cauteloso demais. Funciona como procurador... uma atividade perfeitamente lícita com clientes absolutamente normais. Como eu disse a Tommy, um dos pontos mais importantes tem sido essa cadeia de imóveis. Casas de aspecto perfeitamente normal onde residem pessoas do mais absoluto respeito, que ficam ali durante certo tempo... e depois se mudam. Agora, graças à senhora, sra. Tommy, e sua investigação de chaminés e pássaros mortos, localizamos com toda a certeza uma dessas casas. O lugar onde uma parcela da pilhagem estava escondida. Usaram um hábil sistema, sabem, transformando joias ou várias coisas do gênero em pacotes de diamantes brutos, ocultando-os ou levando-os para o estrangeiro em barcos de pesca, quando todo o clamor público em torno do roubo já havia passado.

— E quanto aos Perry? Estão... espero que não estejam... metidos no plano?

— Não se pode afirmar categoricamente — respondeu o sr. Smith. — Não, seria temerário. Parece-me provável que a sra. Perry, ao menos, sabe alguma coisa, ou então em determinada época veio a saber.

— Quer dizer que faz parte da quadrilha?

— Não digo isso. É possível que estivesse nas mãos deles.

— De que maneira?

— Olhe, vou falar em caráter confidencial, pois sei que guardarão sigilo sobre o assunto, mas a polícia local sempre achou que o marido, Amos Perry, talvez fosse o responsável pela onda de infanticídios de anos atrás. No consenso médico, ele *poderia* facilmente ter sentido uma compulsão para matar crianças. Nunca houve nenhuma prova definitiva, no entanto a esposa parecia ansiosa demais em sempre lhe proporcionar álibis perfeitos. Nesse caso, compreendem, podia estar nas mãos de uma quadrilha inescrupulosa que os tivesse colocado como inquilinos da parte de uma casa onde sabiam que ela ficaria de boca calada. Talvez até dispusessem de alguma forma de evidência culposa contra o marido. A senhora os conhece... qual é a opinião que teve dos dois, sra. Tommy?

— Simpatizei com *ela* — frisou Tuppence. — Achei que era... bem, foi como eu disse, me deu a impressão de que era uma bruxa camarada, capaz de magia branca, mas não negra.

— E ele?

— Me amedrontou. Não o tempo todo. Só umas duas vezes. De repente parecia ficar enorme e assustador. Apenas por alguns instantes. Não pude imaginar o que me infundia medo, mas o fato é que eu sentia. Creio que foi como o senhor disse. Percebi que ele não regulava bem da cabeça.

— Há muita gente assim — concordou o sr. Smith. — E muitas vezes não são nada perigosos. Só que nunca se sabe, nem se pode ter certeza.

— O que vamos fazer hoje à noite no vicariato?

— Averiguar algumas coisas. Ver um punhado de gente. Apurar certos dados que nos possam dar um pouco mais de informação de que precisamos.

— O major Waters estará presente? O homem que escreveu ao pastor a propósito da criança?

— Parece que não existe tal pessoa! Havia um caixão enterrado onde o velho túmulo fora removido... um esquife infantil, forrado de chumbo... E estava cheio de produto de pilhagem. Joias e objetos de ouro de um arrombamento perto de St. Albans. A carta ao pastor tinha a finalidade de descobrir o que acontecera com a sepultura. As estripulias da rapaziada local complicaram tudo.

III

— Não imagina como eu lamento, minha cara — disse o pastor, vindo ao encontro de Tuppence de braços abertos. — É mesmo, minha cara, fiquei terrivelmente abalado que isso fosse suceder logo com quem tinha se mostrado tão gentil comigo. Quando estava apenas tentando me ajudar. Francamente, achei que fora tudo culpa minha. Não devia ter permitido que procurasse o túmulo, embora quem poderia supor... uma vez que não havia o menor motivo... que um bando de jovens desordeiros...

— Ora, não se preocupe, ministro — interveio a srta. Bligh, aparecendo repentinamente a seu lado. — Tenho certeza de que a sra. Beresford sabe que o *senhor* nada teve a ver com o fato. Foi mesmo uma grande gentileza oferecer-se para ajudar, mas agora tudo já passou e ela está perfeitamente bem de novo. Não é, sra. Beresford?

— Claro — respondeu Tuppence, um pouco chateada, entretanto, que a srta. Bligh determinasse seu estado de saúde com tamanha segurança.

— Venha sentar-se aqui e ponha uma almofada nas costas — convidou a srta. Bligh.

— Não é preciso — recusou Tuppence, não querendo ocupar a poltrona que a srta. Bligh lhe oferecia, solícita. Em vez disso, dirigiu-se a uma cadeira de encosto duro e extremamente incômodo do outro lado da lareira.

Uma forte pancada abafada repercutiu na porta da frente. Todos os presentes se sobressaltaram. A srta. Bligh precipitou-se.

— Não se incomode, ministro — disse —, deixe que eu atendo.

— Sim, por favor.

Houve um murmúrio no vestíbulo, e em seguida a srta. Bligh voltou, trazendo uma mulher grandalhona vestida de brocado e um homem muito alto e magro, de aspecto cadavérico. Tuppence fitou-o assombrada. Uma capa preta cobria-lhe os ombros e o rosto comprido e descarnado lembrava uma fisionomia de outro século. Parecia saído, pensou ela, de uma tela de El Greco.

— Que imenso prazer revê-lo — saudou o pastor, virando-se para os outros. — Permitam-me apresentar-lhes Sir Philip Starke. Sr. e sra. Beresford. Sr. Ivor Smith. Ah! Sra. Boscowan. Há quantos anos não nos víamos... Sr. e sra. Beresford.

— O sr. Beresford eu já conheço — disse a sra. Boscowan. Olhou para Tuppence. — Como vai? — cumprimentou. — Que bom encontrá-la. Soube que sofreu um acidente.

— Sim. Mas agora já estou bem.

Findas as apresentações, Tuppence tornou a se sentar na cadeira. Sentia-se invadida por um cansaço que ultimamente parecia manifestar-se com mais frequência do que nunca. Consolou-se com a ideia de que decerto seria resultado do choque. Permanecendo imóvel, com as pálpebras entreabertas, nem assim deixava de analisar cada pessoa na sala com a máxima atenção. Não escutava o que diziam, apenas observava. Tinha a impressão de que alguns personagens do drama... no qual se envolvera involuntariamente... estavam ali reunidos numa espécie de palco. Os elementos aos poucos se uniam, formando um núcleo compacto. Com a chegada de Sir Philip Starke e da sra. Boscowan, parecia que dois protagonistas até então ausentes subitamente entravam em cena. Ambos haviam se conservado, por assim dizer, o tempo todo fora do círculo e no momento passavam a integrá-lo. De certo modo tomavam parte, comprometidos. Por que tinham vindo àquela reunião?... Gostaria de saber. Intimados por alguém? Ivor Smith? Exigira sua presença ou apenas pedira cortesmente? Ou lhe seriam talvez tão desconhecidos quanto eram para ela? Pensou consigo mesma: "Tudo começou em Sunny Ridge, mas o asilo não representa o verdadeiro âmago do problema, que sempre esteve aqui, em Sutton Chancellor. Aconteceram coisas neste lugar. Não muito recentemente, disso estou quase certa. Há muito tempo. Coisas que não se relacionavam com a sra. Lancaster... mas que, sem querer, a envolviam. E, no entanto, por onde andará ela agora?"

Sentiu um leve calafrio.

"Vai ver", pensou Tuppence, "vai ver está *morta*..."

Nesse caso, precisava reconhecer o próprio fracasso. Pusera-se à procura, inquieta, pelo destino da sra. Lancaster, achando que um perigo a ameaçava, e determinara-se a encontrá-la, a fim de protegê-la.

— E se não estiver morta — decidiu —, hei de socorrê-la!

Sutton Chancellor... fora ali que sucedera algo significativo e perigoso. A casa do canal fazia parte disso. Talvez constituísse o centro de tudo. Ou seria a própria aldeia? Um lugar onde pessoas haviam vivido, chegado, partido, fugido, sumido, desaparecido e reaparecido. Que nem Sir Philip Starke.

Sem mover a cabeça, os olhos de Tuppence se concentraram nele. A única coisa que sabia a seu respeito era o que a sra. Copleigh mencionara durante o longo monólogo sobre os habitantes locais. Um sujeito tranquilo e culto. Um botânico, um industrialista, ou que pelo menos possuía grandes interesses industriais. Portanto, um homem rico... e que adorava crianças. Lá vinha ela de novo. Crianças outra vez. A casa do canal e o pássaro na chaminé, de onde caíra uma boneca infantil, escondida ali por alguém. Uma boneca que guardava no forro um punhado de diamantes... produtos de um roubo. Ali se situava um dos centros de operações de uma vasta organização criminosa. Porém, existiam crimes mais sinistros que assaltos. "Sempre achei que *ele* podia ser o culpado", dissera a sra. Copleigh.

Sir Philip Starke. Um assassino? Pelas pálpebras entreabertas, Tuppence o analisava com a nítida consciência de averiguar se ele se encaixava de algum modo na sua concepção de homicida... de infanticida, por sinal.

Que idade teria? No mínimo setenta, talvez mais. Uma fisionomia ascética, sofrida. Sim, decididamente ascética. Sem sombra de dúvida, um rosto torturado. Aqueles imensos olhos negros. Dignos de um modelo de El Greco. O corpo descarnado.

Por que teria comparecido à reunião? Desviou os olhos na direção da srta. Bligh. Sentada um pouco inquieta na cadeira, levantando-se de vez em quando para empurrar uma mesa mais para perto de alguém, oferecer uma almofada, deslocar a posição de uma caixa de cigarros ou fósforos. Irrequieta, mas à vontade. Estava fitando Philip Starke. Toda vez que se acalmava, seu olhar se fixava nele.

"Fidelidade canina", opinou Tuppence. "Creio que esteve apaixonada por ele. E acho que de certo modo ainda está. A gente não perde o amor por alguém só por causa de velhice. Criaturas como Derek e Deborah é que pensam assim. Não conseguem imaginar ninguém apaixonado que não seja jovem. Mas me parece que ela... continua perdidamente enamorada de Sir Philip. Quem foi mesmo que disse... teria sido a sra. Copleigh ou o pastor... que a srta. Bligh trabalhara como sua secretária na mocidade e era ela quem atualmente tratava dos negócios dele no lugarejo? Ora, nada mais natural. As secretárias muitas vezes se apaixonam pelos patrões. Assim, digamos que Gertrude Bligh amasse Philip Starke. De que adiantaria tal constatação? Teria a srta. Bligh conhecimento ou desconfiança de que a calma personalidade ascética de Philip Starke ocultasse uma hedionda carga de loucura? *Sempre gostou tanto de crianças...*"

— Em demasia, na minha opinião — comentara a sra. Copleigh.

Há atrações realmente irremediáveis. Talvez fosse essa a razão daquela aparência tão torturada.

"A não ser que a gente seja patologista, psiquiatra ou algo semelhante, não se conhece nada sobre assassinos loucos", pensou Tuppence. "*Por que* procuram matar as crianças? O que causa esse impulso? Será que depois se arrependem? Sentem-se enojados, desesperadamente infelizes ou apavorados?"

Então reparou que o olhar dele havia se fixado nela. Fitaram-se mutuamente, e Tuppence teve a impressão de que ele queria comunicar-lhe alguma mensagem.

"A senhora está pensando em mim", dizia o olhar. "Sim, tem toda a razão. Sou uma criatura atormentada."

De fato, o termo o descrevia com exatidão... Um homem atormentado.

A muito custo, desviou o olhar. Contemplou o pastor. Simpatizava com ele. Era um amor de pessoa. Será que saberia de alguma coisa? "Talvez", pensou Tuppence, "ou bem podia estar vivendo no meio de uma terrível complicação da qual jamais sequer suspeitara. As coisas aconteciam ao seu redor sem que possivelmente soubesse, pois possuía aquela qualidade um tanto perturbadora de inocência".

A sra. Boscowan? Sobre ela tornava-se difícil dizer alguma coisa ao certo. Uma mulher de meia-idade, de personalidade forte, como Tommy já observara. Porém aquilo não parecia suficiente. Como que obedecendo a uma ordem de Tuppence, a sra. Boscowan de repente se pôs de pé.

— Não se importam que eu vá lá em cima lavar as mãos? — perguntou.

— Oh! Mas claro. — A srta. Bligh levantou-se de um salto. —Vou mostrar-lhe onde fica, não é, ministro?

— Conheço perfeitamente o caminho — retrucou a escultora.— Não se incomode... Sra. Beresford.

Tuppence teve um ligeiro sobressalto.

— Não quer aproveitar? — convidou. —Venha comigo.

Tuppence ergueu-se, dócil como uma criança. Relutaria em aceitar a evidência. Porém sabia que tinha recebido uma ordem, e quando a sra. Boscowan dava uma ordem era impossível desobedecer.

A essa altura, a sra. Boscowan já estava no corredor e Tuppence ia atrás. Subiram os degraus... Tuppence na retaguarda.

— O quarto de hóspedes fica no topo da escada — informou a sra. Boscowan. — Está sempre pronto. Tem conexão com um banheiro.

Abriu a porta em frente à escada, entrou, acendeu a luz e Tuppence seguiu-a.

— Fiquei muito contente por encontrá-la aqui — disse a sra. Boscowan. — Contava com isso. Estava preocupada por sua causa. Seu marido lhe contou?

— Sim, ele comentou comigo.

— Estava preocupada, sim. — Fechou a porta, ficando, por assim dizer, num lugar íntimo de confabulações privadas. — Nunca lhe pareceu que Sutton Chancelor fosse uma localidade perigosa? — perguntou.

— Para mim foi — concordou Tuppence.

— Sim, eu sei. Ainda bem que não foi pior, mas é que... sim, acho que compreendo.

— A senhora sabe de alguma coisa — afirmou Tuppence. — Sabe de alguma coisa sobre tudo isso, não sabe?

— De certo modo, sim. E por outro lado, não. Trata-se mais de instinto, pressentimentos, entende? Quando se mostram infalíveis, a gente se preocupa. Essa história toda de quadrilha de criminosos parece muito extraordinária. Dá impressão de que não tem nada a ver com... — Parou abruptamente. — Quero dizer, é apenas uma dessas coisas que acontecem... que sempre estão acontecendo, mesmo. Só que hoje são muito organizadas, como negócios. Não existe nada realmente perigoso, sabe, ao menos quanto ao aspecto criminal. Refiro-me ao *outro*. Prever onde se encontra o risco e a maneira de se defender dele. A senhora precisa tomar cuidado, sra. Beresford. Estou falando sério. É muito temerária e isso não lhe convém. Pelo menos neste lugar.

— Minha velha tia — retrucou Tuppence lentamente —, ou melhor, a tia de Tommy... alguém contou para ela, na casa de saúde onde veio a falecer... que havia um assassino.

Emma sacudiu devagar a cabeça.

— Ocorreram duas mortes naquele asilo — continuou Tuppence — que deixaram o médico desconfiado.

— Foi isso que lhe despertou a curiosidade?

— Não. A coisa vem de mais tempo.

— Se não estiver com pressa — pediu Emma Boscowan —, daria para me contar rápido... da maneira mais resumida possível, pois alguém pode interromper... o que aconteceu precisamente na tal casa de saúde, asilo de velhice, ou seja lá o que for, que lhe pareceu suspeito?

— Sim, vou lhe contar.

Tuppence sintetizou o caso em breves palavras.

— Compreendo — disse Emma Boscowan. — E não sabe onde está a velha, essa tal de sra. Lancaster, atualmente?

— Não sei, não.

— Crê que tenha morrido?

— É bem possível.

— Porque sabia de alguma coisa?

— Sim. Quanto a isso tenho certeza. Algum crime. Alguma criança talvez que fora assassinada.

— Creio que nesse ponto a senhora se engana — replicou a sra. Boscowan. — Acho que a criança ficou envolvida, e ela talvez tenha confundido tudo. A velha, quero dizer. Misturou a menina com outra coisa qualquer, um crime diferente.

— Suponho que seja possível. Os velhos de fato confundem tudo. No entanto *existiu* um assassino de crianças solto por aqui, não existiu? Pelo menos foi o que me disse a mulher onde estive hospedada.

— Houve vários infanticídios na região, sim. Mas isso aconteceu há muitos e muitos anos, sabe? Não tenho certeza da data. O próprio pastor não saberia informar. Ainda não morava aqui na época. Quem morava era a srta. Bligh. Sim, de fato, ela devia estar aqui. Seria relativamente moça na ocasião.

— É, com certeza. — Então perguntou: — Foi sempre apaixonada por Sir Philip Starke?

— Ah, notou, hein? Sim, acho que sim. Inteiramente dedicada a ele, além da idolatria. William e eu também logo percebemos quando viemos para cá pela primeira vez.

— Por que se interessaram por este lugar? Moraram na Casa do Canal?

— Não, nunca moramos lá. Ele gostava de pintá-la. Fez vários quadros dela. O que aconteceu com aquele que seu marido me mostrou?

— Levou de novo para casa — respondeu Tuppence. — Ele me contou o que a senhora disse a respeito do barco... que seu esposo não havia pintado... o barco chamado *Waterlily*...

— Sim. Não foi pintado por William. Quando vi o quadro da última vez, não havia barco nenhum. Alguém acrescentou depois.

— E chamou-o de *Waterlily*... E um homem que não existe, um certo Major *Waters*... escreveu, perguntando sobre um túmulo... de uma menina chamada Lilian... só que não havia nenhuma criança enterrada naquele lugar, apenas um caixão pequeno, cheio de produto de um grande roubo. A pintura do barco deve ter sido uma mensagem... para informar onde os objetos da pilhagem estavam escondidos... Tudo parece relacionado com crime...

— De fato, parece... Porém não se pode ter certeza se...

Emma Boscowan atalhou bruscamente a frase.

— Ela está subindo à nossa procura — avisou às pressas. — Entre no banheiro...

— Quem?

— Nellie Bligh. Corra aí para dentro... Passe o ferrolho.

— Mas que mulherzinha intrometida! — resmungou Tuppence, desaparecendo pela porta.

— Um pouco mais do que isso — comentou a sra. Boscowan.

A srta. Bligh entrou, animada e solícita.

— Oh, espero que tenham encontrado o que precisavam. Havia toalhas limpas e sabonete? A sra. Copleigh sempre vem arrumar a casa, mas tenho de fiscalizar se faz tudo direito.

A sra. Boscowan e a srta. Bligh desceram juntas. Tuppence alcançou-as na sala de visitas. Sir Philip Starke ergueu-se à sua chegada, arrumando-lhe a cadeira de novo e sentando-se ao seu lado.

— Está confortável, sra. Beresford?

— Sim, obrigada — agradeceu Tuppence. — Ficou ótimo.

— Senti-me penalizado... — Sua voz possuía um vago encanto, como se fosse formada por elementos fantasmagóricos, longínquos, carecendo de ressonância e, no entanto, estranhamente cava ao saber do acidente. — É tão triste hoje em dia... todos esses desastres que sucedem por aí...

Os olhos dele percorriam-lhe o rosto, e ela pensou consigo mesma: "Está me analisando exatamente como fiz há pouco com ele." Fitou Tommy de relance, mas percebeu que conversava com Emma Boscowan.

— O que a fez vir a Sutton Chancellor, afinal, sra. Beresford?

— Oh, estamos atrás de uma casa no campo, sem muito compromisso — respondeu. — Meu marido se ausentou de casa para comparecer a uma espécie de congresso, sei lá, e eu me lembrei de dar um giro pelo interior... só para verificar o que havia, o tipo de preço que se teria de pagar, essas coisas, sabe?

— Soube que a senhora andou visitando a casa perto da ponte do canal.

— Andei, sim. Uma vez, quando passava de trem, reparei nela. Tem um aspecto lindo... vista do lado de fora.

— Sim. Calculo, porém, que mesmo por fora precise de uma boa reforma. No telhado e coisas assim. Do outro lado não é tão bonita, não?

— Não. Me pareceu uma estranha maneira de dividir uma casa.

— Pois é — retrucou Philip Starke —, as pessoas têm cada ideia, não é?

— O senhor nunca morou lá? — indagou Tuppence.

— Não, não. Nunca. Minha casa se incendiou vários anos atrás. Ainda existe uma parte intacta. No mínimo passou por lá ou alguém lhe mostrou. Fica acima deste vicariato, sabe? No alto da colina. Pelo menos é o que chamam de colina nesta parte do mundo. Não é nada especial. Meu pai a construiu lá por 1890, mais ou menos. Uma mansão imponente. Coberturas góticas, um toque de Balmoral. Os nossos arquitetos hoje em dia voltaram a admirar esse tipo de coisa, embora, na realidade, há quarenta anos, fosse considerada horrível. Possuía tudo o que uma pretensa casa de fidalgo devia possuir. — Sua voz era levemente irônica. — Sala de bilhar, solário, recanto para senhoras, um refeitório colossal, salão de baile, cerca de quatorze quartos. E antigamente chegou a ter... segundo meus cálculos... um serviço de quatorze empregados para cuidar de tudo.

— Pelo visto, nunca lhe agradou muito.

— Nunca. Fui uma decepção para o meu pai. Ele era um próspero industrialista e esperava que eu o sucedesse, o que não aconteceu. Tratou-me muito bem. Dava-me uma boa mesada, ou pensão... como se chamava na época... e deixava-me fazer o que eu queria.

— Soube que se dedica à botânica.

— De fato, sempre foi um dos meus maiores passatempos. Costumava viajar em busca de flores silvestres, sobretudo nos Bálcãs. Nunca pensou em fazer o mesmo? É um lugar maravilhoso para pesquisa.

— Parece muito sedutor. E depois voltava a morar aqui?

— Faz séculos que não resido mais na aldeia. Para ser franco, jamais tornei a morar aqui desde que minha mulher morreu.

— Oh — exclamou Tuppence, um pouco constrangida. — Desculpe.

— Já faz anos. Faleceu antes da guerra. Em 1938. Era muito bonita.

— Ainda conserva retratos seus aqui em sua casa?

— Oh, não, está tudo vazio. Mandei guardar toda a mobília, quadros etc. num depósito. Só ficou um quarto de dormir, um gabinete e uma sala de estar, ocupados pelo meu agente ou por mim mesmo, quando preciso vir cá e atender a qualquer negócio imobiliário.

— Nunca foi vendida?

— Não. Houve rumores de que iriam incentivar o incremento agrícola. Não sei. Não que eu tenha qualquer vocação para esse gênero de trabalho. Meu pai julgava estar fundando uma espécie de domínio feudal. Eu devia sucedê-lo, e meus filhos a mim. E assim por diante, pelos séculos afora. — Fez uma pausa e depois acrescentou: — Mas Julia e eu jamais tivemos filhos.

— Ah — murmurou Tuppence —, compreendo.

— Portanto não me resta nada a fazer por aqui. De fato, raramente venho. Tudo o que precisa ser feito, Nellie Bligh se encarrega de providenciar para mim. — Dirigiu-lhe um sorriso. — Tem sido uma secretária admirável. Continua tratando de meus assuntos e tudo o mais.

— O senhor nunca vem aqui e, no entanto, não tenciona vendê-la? — desconfiou Tuppence.

— Existe um excelente motivo para isso — respondeu.

Um leve sorriso passou-lhe pelos traços austeros.

— Talvez, afinal de contas, eu realmente herdasse um pouco do espírito comercial de meu pai. A terra, sabe, está aumentando enormemente de valor. Representa melhor investimento do que o dinheiro que obteria com a venda. Valoriza dia a dia. É possível que futuramente construam uma vasta cidade residencial nessas terras.

— Então enriquecerá?

— Então serei ainda mais rico do que hoje — corrigiu Sir Philip. — E o que tenho já me basta.

— O que faz na maior parte do tempo?

—Viajo e trato de negócios em Londres. Possuo uma galeria de arte lá. Tornei-me um vendedor de quadros. Todas essas coisas são interessantes. Ocupam o nosso tempo... até o momento em que uma mão pousa no ombro e a gente ouve uma voz que diz: "Chegou a hora."

— Por favor — pediu Tuppence —, não diga isso... sinto um arrepio.

— Não vejo por que, sra. Beresford. Creio que viverá muitos anos ainda, cheios de alegria.

— Pois estou perfeitamente feliz por enquanto — retrucou. — No mínimo, terminarei ficando com todas as dores, achaques e problemas que afligem a velhice. Surda, cega, reumática e uma série de outras coisas.

— Provavelmente não a incomodarão tanto quanto imagina. Desculpe o comentário, que pode parecer rude, mas a senhora dá impressão de ser muito feliz com seu marido.

— Ah, de fato sou — concordou Tuppence. — Creio que no fundo não existe nada que se compare a uma boa vida conjugal, não é mesmo?

Mal concluiu a frase, teve vontade de desaparecer. Quando olhou para ele, que sofrera por tantos anos a fio e possivelmente ainda continuava chorando a perda da esposa adorada, sentiu-se ainda mais furiosa consigo mesma.

16

A manhã seguinte

Foi na manhã seguinte à reunião.

Ivor Smith e Tommy pararam a conversa e olharam um para o outro, virando-se depois para Tuppence, que fitava a lareira, distraída.

— Aonde chegamos? — perguntou Tommy.

Suspirando, Tuppence voltou da região remota a que fora levada por suas cogitações e contemplou os dois.

— Para mim tudo continua confuso — disse. — A reunião de ontem à noite? De que adiantou? O que significou aquilo? — Olhou para Ivor Smith. — Imagino que representasse alguma coisa para vocês. Podem dizer quais foram os resultados?

— Eu não iria tão longe — respondeu Ivor. — Acho que não estamos atrás da mesma coisa, estamos?

— Realmente não — confirmou Tuppence.

Ambos fitaram-na, perplexos.

— Muito bem — continuou Tuppence. — Sou uma mulher com uma ideia fixa. *Quero encontrar a sra. Lancaster.* Preciso me certificar de que está sã e salva.

— Primeiro terá de achar a sra. Johnson — advertiu Tommy. — Nunca encontrará a sra. Lancaster se não conseguir localizar a sra. Johnson.

— Sra. Johnson — repetiu Tuppence. — Sim, eu gostaria de saber... Mas acho que não estão nada interessados nesse assunto — disse a Ivor Smith.

— Ah, pelo contrário, sra. Tommy. Muito pelo contrário.

— E o sr. Eccles?

Ivor sorriu.

— Creio que em breve ele receberá sua recompensa. No entanto, não me fiaria nisso. É um homem que destrói o próprio rastro com tal habilidade que a gente chega a duvidar de que algum dia tenha havido algum. — E murmurou, pensativo: — Um grande administrador. Um gênio da planificação.

— Ontem à noite... — começou Tuppence e hesitou. — Posso fazer algumas perguntas?

— Pode — respondeu Tommy. — Mas não garanto que receba respostas satisfatórias do nosso velho Ivor.

— Sir Philip Starke — disse Tuppence. — Onde é que ele se encaixa? Não tem aspecto de provável criminoso... a não ser que fosse do tipo que...

Parou a tempo de evitar alguma referência às fantasiosas conjecturas da sra. Copleigh sobre os infanticídios...

— Sir Philip representa uma fonte de informações valiosa — explicou Ivor Smith. — É o maior latifundiário local... e de outras regiões da Inglaterra também.

— Em Cumberland?

Ivor Smith olhou intensamente para Tuppence.

— Cumberland? Por que pergunta? O que é que a senhora sabe sobre Cumberland, sra. Tommy?

— Nada — retrucou Tuppence. — Não sei por que me veio à cabeça. — Franziu a testa, perplexa. — Talvez uma rosa raiada de vermelho e branco ao lado de uma casa... uma dessas qualidades antigas.

Sacudiu a cabeça.

— A Casa do Canal é propriedade de Sir Philip Starke?

— A terra é dele... Como quase todos os arredores da aldeia.

— Sim, ele me falou ontem à noite.

— Por seu intermédio, soubemos uma porção de coisas a respeito de arrendamentos e locações que estavam habilmente embaralhados em complexidades legais...

— Aqueles corretores de imóveis que fui procurar em Market Basing... É imaginação minha ou há algo de duvidoso na atividade deles?

— Não é imaginação, não. Vamos fazer-lhes uma visita nesta manhã. E terão de responder a uma série de perguntas bastante embaraçosas.

— Ótimo — comemorou Tuppence.

— Estamos indo muito bem. Esclarecemos o grande roubo do correio de 1965, os assaltos em Albury Cross e o caso do trem expresso irlandês. Localizamos boa parte do produto da pilhagem. Arrumavam esconderijos hábeis nessas casas. Um banheiro novo numa, dependências de serviço noutra... diminuindo o tamanho dos quartos para que coubesse um nicho interessante. Ah, é, encontramos muita coisa.

— Mas e as *pessoas*? — indagou Tuppence. — Eu me refiro aos que tiveram a ideia, os cérebros do negócio... além do sr. Eccles, quero dizer. Deve haver outros que sabiam de alguma coisa.

— Oh, sim. Pelo menos mais dois... um sujeito que tinha uma boate, localizada convenientemente perto de M 1.* Era apelidado de "Sortudo". O protótipo do velhaco. E uma mulher chamada "Killer Kate"... mas isso já faz muito tempo... uma de nossas criminosas mais fascinantes. Bonita moça, mas de precário equilíbrio mental. Livraram-se dela... podia se transformar num autêntico perigo para eles. Era uma empresa rigorosamente comercial... só estavam interessados em lucro... não em crime.

— E a Casa do Canal era um dos esconderijos?

— Houve época em que se chamava Ladymead. Depois teve uma porção de nomes diferentes.

— Apenas para complicar tudo ainda mais — comentou Tuppence. — Ladymead. Gostaria de saber se tem alguma relação com outro fato qualquer.

— Por que haveria de ter?

— Bem, na verdade não tem — retrucou. — Só que me deixou de novo com a pulga atrás da orelha, se é que me entende. O diabo — continuou — é que já nem sei mais o que quero

---

* Motorway 1 — A primeira estrada de rodagem da Inglaterra. (N. do T.)

dizer. O quadro também. Boscowan pintou a paisagem, e depois alguém acrescentou um barco, dando-lhe um nome...

— *Tiger Lily*.

— Não, *Waterlily*. E a mulher dele afirma que não foi o marido quem pintou o barco.

— Como é que ela sabe?

— Deve saber. Quando alguém se casa com um pintor, e ainda mais também sendo artista, acho que é fácil reconhecer o estilo. Ela é um bocado assustadora, a meu ver — disse Tuppence.

— Quem... A sra. Boscowan?

— Sim. Entende o que eu quero dizer? Enérgica. Um pouco esmagadora.

— É. Talvez.

— Ela sabe de alguma coisa — insistiu Tuppence —, mas não tenho certeza de que seja conscientemente, se é que me faço entender.

— Não por mim — afirmou Tommy, decidido.

— Ora, eu quero dizer que existe uma maneira de saber coisas. A outra é uma espécie de pressentimento.

— Acho que é um pouco o seu caso, Tuppence.

— Digam o que quiserem — continuou ela, sem se afastar da própria linha de raciocínio —, a coisa toda gira em torno de Sutton Chancellor. De Ladymead, ou Casa do Canal, como preferirem chamá-la. E de toda essa gente que morou aqui, tanto hoje quanto no passado. Certos acontecimentos datam de muito tempo atrás.

— Está pensando na sra. Copleigh.

— De modo geral — respondeu Tuppence —, eu acho que ela misturou uma porção de coisas que só complicaram ainda mais o problema. E creio também que fez uma confusão danada com a ordem cronológica.

— Isso é frequente com os habitantes do campo — lembrou Tommy.

— Não pense que eu não sei. Afinal de contas, fui criada num vicariato do interior. Eles marcam as datas pelos acontecimentos, não pelos anos. Não dizem "isso aconteceu em 1930" ou "aquilo foi em 1925", ou coisa que o valha. Dizem "isso aconteceu no ano em que o velho moinho pegou fogo" ou "aquilo sucedeu depois que o raio derrubou o carvalho gigante e matou o granjeiro James" ou "foi no ano em que houve a epidemia de paralisia infantil". De forma que, naturalmente, as coisas de que se lembram não obedecem a uma sequência especial. Fica tudo muito difícil — acrescentou. — Destacam-se certos detalhes, aqui e ali, não sei se me entendem. Claro que o problema — disse Tuppence, com o ar de alguém que de repente faz uma descoberta importante — é que estou ficando velha.

— A senhora será eternamente jovem — declarou Ivor, galanteador.

— Deixe de bobagem — retrucou Tuppence, cáustica. — Estou velha porque me lembro das coisas da mesma maneira que eles. Voltei a ser primitiva no uso da memória.

Levantou-se e caminhou pela sala.

— Que tipo mais chato de hotel — comentou.

Foi até o quarto e tornou a sair, sacudindo a cabeça.

— Não há nenhuma Bíblia.

— Bíblia?

— É. Sabe, nos hotéis antigos, sempre tem uma na mesa de cabeceira. Creio que é para a gente ser salvo a qualquer hora do dia ou da noite. Pois aqui não há.

— Quer uma?

— Olhe, num certo sentido, sim. Fui criada como se deve e costumava conhecê-la muito bem, como toda filha de clérigo que se preze. Porém, hoje, compreende, a tendência é esquecer. Principalmente porque não ensinam mais direito nas igrejas. Dão uma versão moderna, onde todo o fraseado, creio eu, está tecnicamente certo, numa tradução adequada, só que não parece o texto de antigamente. Enquanto vocês dois vão falar com os corretores de imóveis, irei de carro até Sutton Chancellor — acrescentou.

— Para quê? Proíbo-lhe — advertiu Tommy.

— Besteira... Não vou bancar o detetive. Só quero ir à igreja e olhar a Bíblia. Se for alguma versão moderna, então procuro o pastor. Ele há de ter uma, não? Do tipo correto, quero dizer. Versão autorizada.

— Para que você precisa de uma versão autorizada?

— Quero apenas refrescar a memória sobre aquelas palavras rabiscadas no túmulo da menina... Elas me interessam.

— Está tudo muito bem... mas não confio em você, Tuppence... Sabe lá se não vai se meter noutra encrenca assim que eu a perder de vista.

— Palavra de honra como não pretendo vagabundear de novo por cemitérios. A igreja numa manhã ensolarada e o gabinete do pastor... apenas isso... pode haver algo mais inocente?

Tommy olhou-a com dúvida e desistiu.

II

Depois de deixar o carro na entrada, Tuppence olhou cuidadosamente em torno antes de entrar no recinto da igreja. Procedia com a desconfiança natural de quem sofrera sérios danos corporais num determinado ponto geográfico. Parecia não haver nenhum agressor emboscado atrás dos túmulos.

Entrou na igreja. Uma mulher idosa, de joelhos, lustrava alguns metais. Tuppence avançou na ponta dos pés até o atril e pôs-se a examinar o volume pousado ali. A lustradora de metais ergueu a cabeça, lançando-lhe um olhar de recriminação.

— Não precisa ter medo que não vou roubar — advertiu Tuppence para tranquilizá-la, e, tornando a fechar o livro, saiu sem ruído da igreja.

Sentiu-se tentada a visitar o lugar onde haviam aberto as recentes escavações, porém prometera-se de antemão a não ceder.

— *"Ai de quem escandalizar"* — murmurou. — Talvez significasse isso, mas nesse caso forçosamente se referia a alguém...

Percorreu de carro a curta distância ao vicariato, desceu e subiu a senda que levava à porta de entrada. Tocou a campainha, mas não escutou nenhum tilintar no interior.

— No mínimo está estragada — disse, conhecendo os hábitos das campainhas de vicariato.

Empurrou a porta, que imediatamente se abriu.

Permaneceu imóvel no vestíbulo. Em cima da mesa, um envelope grande com selo estrangeiro ocupava boa parte do espaço. Trazia a inscrição impressa de uma Sociedade Missionária na África.

"Ainda bem que não sou missionária", pensou.

Havia alguma coisa por trás desse vago raciocínio, algo relacionado com certa mesa de vestíbulo em algum lugar, e que ela devia lembrar... Flores? Folhas? Quem sabe uma carta ou um embrulho?

Nesse momento, o pastor apareceu no limiar à esquerda.

— Oh — exclamou. — Estava me procurando? Eu... oh, é a sra. Beresford, não é?

— Exatamente — respondeu Tuppence. —Vim perguntar se por acaso o senhor não tem uma Bíblia.

— Bíblia — repetiu ele, numa expressão inesperadamente dubitativa. — Uma Bíblia.

— Achei provável que tivesse — disse Tuppence.

— Claro, naturalmente. Para ser franco, creio que possuo várias. Tenho um Testamento Ortodoxo — lembrou, esperançoso. — Mas não é isso que a senhora quer, é?

— Não. Ando à procura — declarou com firmeza — da versão autorizada.

— Oh, meu Deus — retrucou o pastor. — Lógico, deve haver diversos exemplares pela casa. Uma porção mesmo. Infelizmente, hoje não usamos mais essa versão na igreja. A gente tem de seguir as ideias do bispo, e ele insiste muito em modernizar, para os jovens, sabe como é. Acho uma pena. Minha estante está tão atulhada de livros que alguns ficam por trás dos outros. Mas *creio* que posso encontrar o que a senhora quer. Pelo menos me *parece*. Se não, pedirei à srta. Bligh. Ela anda por aí, tratando dos vasos para as crianças arrumarem flores silvestres no recanto infantil da igreja.

Deixou Tuppence no vestíbulo e tornou a entrar no cômodo de onde saíra.

Tuppence não o acompanhou. Ficou ali, franzindo a testa e pensando. Ergueu de repente a cabeça. A porta do fundo do corredor se abriu, e a srta. Bligh apareceu. Vinha com um grande e pesado vaso de metal nas mãos.

Teve um estalo.

— Mas claro — exclamou —, *claro*.

— Oh, deseja alguma coisa?... Eu... Ah, é a sra. Beresford.

— Sim — respondeu Tuppence, acrescentando logo: — E a senhora é a *sra. Johnson, não?*

O vaso pesado caiu no chão. Tuppence se abaixou e o apanhou. Avaliou o peso com a mão.

— Arma bem pesada — comentou, tornando a largá-lo. — O objeto ideal para bater na cabeça de alguém pelas costas — prosseguiu. — Foi o que a senhora fez comigo, não foi, *sra. Johnson?*

— Eu... eu... como disse? Eu... eu... eu nunca...

Mas Tuppence não precisava de maiores informações. Vira o efeito de suas palavras. À segunda menção da sra. Johnson, a srta. Bligh se traíra de modo inconfundível. Estava trêmula e apavorada.

— Havia uma carta outro dia na mesa de seu vestíbulo — disse Tuppence —, dirigida a uma certa sra. Yorke, num endereço em Cumberland. Foi para onde a senhora a levou, não foi, sra. Johnson, quando tirou-a de Sunny Ridge? É lá que ela está agora. A sra. Yorke ou a sra. Lancaster... usava tanto um nome quanto outro... York e Lancaster, que nem a rosa rajada de vermelho e branco no jardim dos Perry...

Virou-se rapidamente e saiu da casa, deixando a srta. Bligh parada no vestíbulo, ainda apoiada ao corrimão da escada, boquiaberta, de olhos arregalados. Tuppence desceu correndo até o portão, entrou no carro e partiu. Olhou de novo para a porta de entrada, mas ninguém apareceu. Passou pela igreja, a caminho de Market Basing, porém de repente mudou de ideia. Deu meia-volta, percorrendo o mesmo trajeto anterior, e seguiu pela estrada à esquerda, que conduzia à ponte da Casa do Canal. Saiu do automóvel, espiou pela cancela, verificando se um dos Perry estava no jardim. Não havia rastro deles. Cruzou o portão e subiu a trilha até a porta dos fundos. Também estava fechada. Assim como as janelas.

Tuppence ficou chateada. Talvez Alice Perry tivesse ido fazer compras em Market Basing. Era quem mais queria encontrar. Bateu na porta, primeiro delicadamente, depois com força. Ninguém atendeu. Girou a maçaneta, mas a porta não cedeu. Estava trancada. Ficou ali parada, indecisa.

Havia algumas perguntas que precisava fazer com urgência a Alice Perry. Provavelmente estaria em Sutton Chancellor. Quem sabe não seria melhor voltar lá? A dificuldade da Casa do Canal era que nunca parecia ter ninguém por perto e praticamente nenhum tráfego pela ponte. Não havia ninguém para informar onde os Perry poderiam andar naquela manhã.

17

Sra. Lancaster

Tuppence estava parada, de cenho franzido, quando, de repente, da maneira mais imprevista, a porta se abriu. Tuppence retrocedeu um passo, espantada. A pessoa que estava à sua frente era a última criatura do mundo que esperava encontrar. No umbral, vestida exatamente como em Sunny Ridge, e sorrindo do mesmo modo, com aquele ar de vaga amabilidade, estava a própria sra. Lancaster.

— Oh — exclamou Tuppence.

— Bom dia. Queria falar com a sra. Perry? — perguntou a velhinha. — É dia de feira, sabe? Que sorte que pude atendê-la. Demorei um pouco para descobrir a chave. Creio que deve ser uma cópia, não lhe parece? Mas entre, por favor. Por acaso aceita uma xícara de chá ou outra coisa?

Como num sonho, Tuppence atravessou o limiar. A sra. Lancaster, sempre mantendo os gestos corteses de hospitalidade, levou-a à sala de visitas.

— Sente-se — convidou. — É uma lástima que eu não saiba onde guardam as xícaras e tudo o mais. Cheguei apenas há uns dois dias. Bem, agora deixe-me ver... Mas... claro... já nos encontramos, não?

— Sim — confirmou Tuppence —, quando a senhora estava em Sunny Ridge.

— Sunny Ridge... hum... Sunny Ridge. Parece que me lembra de alguma coisa. Ora, lógico, a nossa querida srta. Packard. Sim, um lugar muito bom.

— A senhora foi embora um pouco às pressas, não foi? — perguntou Tuppence.

— As pessoas são tão mandonas... — comentou a sra. Lancaster. — Vivem afobando a gente. Não dão tempo para *arrumar as coisas* ou *fazer as malas* direito ou *seja lá o que for*. Não por mal, naturalmente. É evidente que eu gosto muito de nossa querida Nellie Bligh, mas é um tipo de mulher tremendamente dominadora. Às vezes eu acho — acrescentou a sra. Lancaster, curvando-se para Tuppence —, às vezes eu acho, sabe, que não é bem...
— Bateu significativamente na testa. — É óbvio que *isso* acontece. Principalmente com solteironas. Mulheres que não se casam, sabe? Dedicadas a boas ações e tudo o mais, mas que às vezes pegam algumas manias esquisitas. Os clérigos é que sofrem. Essas coitadas metem na cabeça que o pastor lhes fez uma proposta de casamento quando na realidade nunca pensou em fazer uma coisa dessas. Ah, é, pobre Nellie. Tão sensata para certas coisas. Tem sido uma maravilha aqui para a paróquia. E tenho a impressão de que sempre foi uma secretária da maior qualidade. Mas, mesmo assim, às vezes tem ideias muito estranhas. Como aquela de me tirar de uma hora para a outra do ótimo Sunny Ridge e depois me levar lá para Cumberland... Uma casa tétrica, e, de repente, quando eu menos esperava, me trazer para cá...

— Está morando aqui? — perguntou Tuppence.

— Bem, se é que se pode *chamar* isso de casa. De modo geral, é um arranjo muito singular. Cheguei há apenas dois dias.

— Antes a senhora esteve em Rosetrellis Court,* em Cumberland?

— Sim, creio que o nome era esse mesmo. Não é tão bonito que nem Sunny Ridge, não lhe parece? Para dizer a verdade, nem deu tempo de me instalar. E não era tão bem administrado, tampouco. O serviço era inferior, e usavam um tipo de café bastante ordinário. No entanto, já estava me acostumando e fiz amizades interessantes lá. Uma conhecera uma tia minha, vários anos atrás, na Índia. É tão bom, sabe, quando a gente encontra *relações*.

---

* Rosetrellis Court: Pátio do caramanchão de rosas. (N. do T.)

— Deve ser — concordou Tuppence.

A sra. Lancaster continuou animada:

— Agora, deixe-me ver, a senhora foi a Sunny Ridge, mas acho que não para ficar. Creio que tinha ido visitar uma hóspede.

— A tia do meu marido — explicou —, a srta. Fanshawe.

— Ora, lógico. Claro que foi isso. Agora me lembro. E não houve algo a respeito de uma filhinha sua atrás de uma lareira?

— Não — disse Tuppence —, não era minha filha.

— Mas foi por isso que veio aqui, não é? Andaram tendo problemas com a daqui. Um pássaro caiu pela chaminé, pelo que soube. Este lugar precisa de uma reforma. Não gosto *nem um pouco* de ficar aqui. Não, de jeito nenhum, e vou dizer para Nellie assim que a encontrar.

— Está hospedada com a sra. Perry?

— Bem, mais ou menos. Acho que posso lhe confiar um segredo, hein?

— Oh, sim — garantiu Tuppence —, claro que sim.

— Olhe, não é realmente aqui que eu estou. Nesta parte da casa, quero dizer. Esta pertence aos Perry. — Curvou-se para a frente. — Existe outra, sabe, se a gente sobe ali. Venha comigo. Vou lhe mostrar.

Tuppence se levantou. Sentia-se como se estivesse vivendo um sonho completamente doido.

— Convém trancar a porta primeiro. É mais seguro — disse a sra. Lancaster.

Subiu na frente de Tuppence por uma escada um tanto estreita que levava ao andar superior. Passaram por um quarto de casal com indícios de uso... provavelmente o quarto dos Perry... e cruzaram uma porta que se conectava a outro cômodo contíguo. Continha um lavatório e um grande armário de madeira. Mais nada. A sra. Lancaster dirigiu-se ao guarda-roupa, tateou o fundo e depois, com súbita facilidade, deslocou-o para um lado. Parecia ter rodinhas por baixo, pois separou-se da parede com bastante rapidez. Atrás, para surpresa de Tuppence, havia uma lareira, encimada por um espelho, com uma pequena prateleira onde havia bibelôs de pássaros de porcelana.

Para seu maior assombro, a sra. Lancaster pegou o que estava bem no meio e puxou-o com toda a força. Pelo visto, era colado, pois, como verificou rapidamente, todos os outros estavam presos. Só que em resultado da ação da sra. Lancaster ouviu-se um estalido, e a lareira inteira se afastou da parede e girou por completo.

— Engenhoso, não é? — perguntou a sra. Lancater. — Foi feito há muito tempo, sabe, quando reformaram a casa. A toca do pastor, era assim que chamavam este quarto, porém não acho que fosse realmente isso. Não, não tinha nada a ver com pastores. Pelo menos nunca me pareceu. Vamos passar para o outro lado. É lá que estou morando.

Deu mais um empurrão. A parede em frente também recuou, e instantes após se encontraram numa ampla sala de aspecto encantador, com janelas que abriam sobre o canal e a colina oposta.

— Lindo quarto, não acha? — perguntou a sra. Lancaster. — Uma vista tão bonita... Sempre gostei daqui. Morei nesta casa durante algum tempo quando moça, sabe?

— Ah, compreendo.

— Pena que dê azar — comentou. — É, sempre disseram que esta casa tinha mau olhado. Creio, sabe — acrescentou —, que é melhor fechar esse troço de novo. Todo cuidado é pouco, não lhe parece?

Estendeu a mão e empurrou a porta por onde haviam entrado, fechando-a outra vez. Houve um forte estalido quando o mecanismo voltou ao lugar.

— Decerto — disse Tuppence — foi uma das reformas que fizeram para transformá-la num esconderijo.

— Fizeram uma porção. Mas sente-se, vamos. Prefere uma cadeira alta ou baixa? Eu gosto das altas. Sofro um pouco de reumatismo, sabe? Suponho que a senhora imaginou que houvesse um cadáver de criança lá — acrescentou. — Uma ideia de fato absurda, não acha?

— Sim, talvez.

— Guardas e ladrões — observou a sra. Lancaster, com ar indulgente. — A gente é tão boba na mocidade... todas essas histórias. Quadrilhas... grandes assaltos... a atração é tão forte para quem é jovem. Pensa-se que ser a companheira de um pistoleiro é a coisa mais maravilhosa do mundo. Foi o que imaginei uma vez. Acredite no que lhe digo... — inclinou-se para a frente e bateu no joelho de Tuppence — *não é verdade*. Puro fato. Eu também pensei que fosse, mas a gente quer mais do que isso, sabe? No fundo não há nenhuma emoção em apenas roubar coisas sem ser pega. Requer boa organização, claro.

— Quer dizer que a sra. Johnson ou a srta. Bligh... seja lá o nome que lhe dá...

— Bem, naturalmente, para mim ela é sempre Nellie Bligh. Mas por um motivo ou outro... para facilitar as coisas, ela diz que de vez em quando se intitula sra. Johnson. Só que nunca foi casada, sabe? Oh, não. É solteirona mesmo.

Ouviu-se um som de batidas lá embaixo.

— Nossa — exclamou a sra. Lancaster —, devem ser os Perry chegando. Não pensei que fossem voltar tão cedo.

As batidas continuaram.

— Talvez seria melhor abrir — sugeriu Tuppence.

— Não, meu bem, não vamos fazer isso — retrucou a sra. Lancaster. — Não tolero gente que esteja sempre se intrometendo. A conversa está tão boa, não acha? Creio que ficaremos simplesmente aqui... Ah, meu Deus, agora estão chamando embaixo da janela. Espie um pouco e veja quem é.

Tuppence aproximou-se da janela.

— É o sr. Perry — disse.

Ele começou a gritar:

— Julia! Julia!

— Que impertinência — reclamou a sra. Lancaster. — Não permito que pessoas como Amos Perry me chamem pelo primeiro nome. De jeito nenhum. Não se preocupe, meu bem — acrescentou —, estamos completamente seguras aqui. E podemos conversar à vontade. Vou lhe contar tudo a meu respeito... De fato tive uma vida muito interessante... Agitada... Às vezes acho que devia escrevê-la. Estive envolvida, sabe? Era uma desmiolada e me meti com... bem, no fundo não passava de uma vulgar quadrilha de criminosos. Não existe outro termo. Alguns até eram *muito* indesejáveis. Mas não pense que não havia gente *boa* entre eles. De grande classe, por sinal.

— A srta. Bligh?

— Não, não, a srta. Bligh nunca teve nada a ver com crime. Não a Nellie Bligh. Oh, não, é toda carola, sabe? Religiosa. Essas coisas. Só que existem diferentes espécies de religião. Como talvez saiba, não?

— Suponho que haja uma porção de seitas de todos os tipos — sugeriu Tuppence.

— Sim, tem de haver, para gente comum. Porém existem outras, além das comuns. Algumas pessoas eleitas, que obedecem a ordens especiais. Legiões de elite. Compreende o que eu quero dizer, meu bem?

— Creio que não — respondeu Tuppence. — Não acha que devíamos deixar os Perry entrarem na casa deles? Estão ficando um pouco inquietos...

— Não, não vamos deixar os Perry entrarem. Não antes que... bem, não antes que eu termine de lhe contar tudo. Não precisa ficar assustada, meu bem. É tudo muito... muito natural, muito inocente. Não dói de jeito nenhum. É que nem pegar no sono. Nada pior.

Tuppence olhou-a fixamente, depois deu um salto e correu à porta da parede.

— Por aí não dá para sair — advertiu a sra. Lancaster. — Precisa saber onde está o trinco. Não é onde pensa. De jeito nenhum. Só eu sei. Conheço todos os segredos deste lugar. Morei aqui com os criminosos quando era moça até que me separei deles e obtive a salvação. Uma salvação especial. Foi o que eu recebi... para expiar meu pecado... A criança, sabe... matei-a. Era bailarina... não queria ter filhos... Ali, oh... na parede... está meu retrato... vestida de bailarina...

Tuppence olhou na direção que o dedo apontava. Havia uma pintura a óleo, de corpo inteiro, de uma jovem num traje de folhas brancas de cetim, com a legenda "Waterlily".

— Foi um de meus melhores papéis. Todo mundo disse.

Tuppence recuou devagar e sentou-se. Não tirava os olhos da sra. Lancaster. Palavras lhe martelavam a cabeça. Palavras que tinha ouvido em Sunny Ridge. "*A coitadinha era sua filha?*" Na ocasião, se atemorizara. Tal como naquele momento. Ainda não estava certa de que sentia medo, sabia apenas que era idêntico. Contemplando aquela fisionomia benevolente, aquele sorriso bondoso.

— Eu precisava cumprir as ordens que recebera... É necessário que haja agentes de destruição. Fui designada para isso. Aceitei a incumbência. Partem livres de pecado, entende? Quero dizer, as crianças, naturalmente. Não tinham idade suficiente para pecar. Assim mandava-os para a Glória, tal como fora ordenado. Ainda inocentes. Sem conhecer o mal. Pode perceber que grande honra era ser escolhida. Ser uma das criaturas eleitas. Sempre adorei crianças. Nunca tive filhos. Que crueldade, não acha? Ao menos parecia. Mas realmente serviu de castigo pelo que eu tinha cometido. Talvez saiba o que foi.

— Não — disse Tuppence.

— Oh, a senhora dá a impressão de saber tanto... Julguei que talvez soubesse disso também. Havia um médico. Fui procurá-lo. Tinha apenas dezessete anos na época e estava assustada. Ele falou que seria melhor tirar logo a criança antes que alguém ficasse sabendo. Mas não foi melhor, não, sabe? Comecei a ter pesadelos. Sonhava que a criança estava sempre ali, me perguntando por que nunca tivera vida. E disse que precisava de companheiras. Era uma menina, compreende? Sim, tenho certeza de que era. Vinha e pedia outras crianças. Então recebi a ordem. *Eu* não podia mais ter filhos. Estava casada e julguei que teria, pois meu marido era louco por crianças, porém nunca tivemos, porque eu era amaldiçoada, entende? Claro que entende, sim. No entanto, havia uma saída, um modo de expiação. Reparar o que eu tinha feito. Afinal, cometera um crime, não? E a única maneira de expiar um crime é cometer outros, porque esses não seriam propriamente crimes, mas *sacrifícios*. Oferecidos a Deus. Percebe a diferença? As crianças iam fazer companhia à minha filha. De idades diversas, mas todas pequenas. Recebia a ordem e então... — curvou-se para a frente e tocou em Tuppence. — Era uma coisa tão alegre de fazer. Compreende, não é mesmo? Eu ficava tão contente por libertá-las, para que nunca soubessem o que era pecado, como eu sabia. Naturalmente não podia contar para ninguém, nenhuma pessoa jamais devia tomar conhecimento. Precisava tomar cuidado. Mas às vezes havia gente que ficava sabendo ou desconfiando. Nesse caso, claro... bem, quero dizer, também tinham de morrer, para que eu ficasse salva. Assim sempre me salvei, entende?

— Não... não muito bem.

— Mas pelo menos *sabe*. Foi por isso que veio aqui, não foi? Sabia. Descobriu no dia em que lhe perguntei, em Sunny Ridge. Vi no seu rosto. Eu disse: "A coitadinha era sua filha?" Pensei que tivesse ido lá porque talvez fosse uma das mães. Uma de quem eu houvesse matado a filha. Esperava que voltasse outra vez, para tomarmos um copo de leite juntas. Em geral, sempre era leite. Às vezes chocolate. Quem quer que soubesse.

Cruzou a sala devagar e abriu um armário que ficava num canto.

— A sra. Moody... foi uma? — perguntou Tuppence.

— Ah, então soube a respeito dela?... Não era uma das mães... tinha sido camareira no teatro. Ela me reconheceu, e por isso tive de liquidá-la. — De repente virou-se e dirigiu-se para Tuppence segurando um copo de leite e sorrindo persuasivamente. — Beba — disse. — Beba tudo de um gole só.

Tuppence conservou-se imóvel por um instante, depois saltou e correu à janela. Pegando uma cadeira, espatifou os vidros. Curvou a cabeça para fora e gritou:

— Socorro! Acudam!

A Sra. Lancaster deu uma gargalhada. Largou o copo de leite em cima de uma mesa, recostou-se de novo na cadeira e riu sem parar.

— Como é burra... Quem é que pensa que vai vir? Quem julga que *possa* vir? Teriam de arrombar as portas, passar pela parede, e a essa hora... há outras coisas, sabe? Não precisa ser leite. Leite é mais cômodo. Leite, chocolate e até mesmo chá. Para aquela baixinha da sra. Moody eu pus no chocolate... era louca por chocolate.

— A morfina? Como conseguiu?

— Ora, foi fácil. Um homem com quem eu vivi há anos... tinha câncer... o médico me deu um estoque para ele... para que eu guardasse... outros entorpecentes também... Mais tarde eu disse que tinha jogado tudo fora... porém escondi, com mais drogas e calmantes... Achei que um dia talvez pudessem ser úteis... e foram... Ainda tenho uma porção... Nunca tomei nada disso... Não faço fé. — Empurrou o copo de leite na direção de Tuppence. — Beba, assim é mais cômodo. O outro modo... o problema é que não lembro direito onde botei.

Ergueu-se da cadeira e começou a caminhar em torno da sala.

— Onde *foi* que eu deixei? Onde? Vivo esquecendo tudo agora que sou velha.

Tuppence berrou de novo:

— Socorro!

Mas a margem do canal continuava deserta. A sra. Lancaster andava de um lado para o outro.

— Eu pensei... com certeza pensei... Ora, claro, na minha bolsa de tricô.

Tuppence virou-se da janela. A sra. Lancaster se aproximava.

— Mas que mulher idiota... — disse. — Preferir deste modo. Estendeu o braço esquerdo e segurou Tuppence pelo ombro. Tirou a mão direita das costas. Empunhava uma lâmina comprida e fina de estilete. Tuppence se debateu. "Posso dominá-la facilmente", pensou. "Não há problema. É uma velha. Fraca. Não pode..."

De repente, numa fria onda de medo, lembrou-se: "Mas eu *também* sou velha. Não sou tão forte quanto penso. Não tanto quanto ela. Suas mãos, sua maneira de agarrar, seus dedos. Deve ser porque é louca, e os loucos, sempre ouvi dizer, são fortes."

A lâmina brilhante aproximava-se cada vez mais. Tuppence gritou. Lá embaixo ouvia brados e batidas. Agora à porta, como se alguém quisesse arrombar, inclusive as janelas. "Mas nunca conseguirão entrar", imaginou, "pelo menos por essa passagem secreta. A não ser que conheçam o mecanismo".

Lutou ferozmente. Ainda continuava retendo a sra. Lancaster a certa distância. Mas a outra era maior. Uma mulher enorme e corpulenta. O rosto tinha o mesmo sorriso, embora o olhar já não fosse benevolente. Estava parecendo alguém que se divertia imensamente.

— *Killer Kate* — disse Tuppence.

— Sabe meu apelido? Sim, mas purifiquei-o. Converti-me em anjo exterminador. É pela vontade divina que devo matá-la. Por isso está tudo certo. Entende perfeitamente como é, não? E por isso está certo.

Tuppence viu-se esmagada no encosto de uma grande poltrona. Com um braço, a sra. Lancaster a sujeitava, aumentando a pressão... não havia mais recuo possível. Na mão direita, a velha aproximava o aço afiado do estilete.

"Não devo entrar em pânico", pensou Tuppence, "não devo entrar em pânico...". Porém logo lhe ocorria, com forte insistência: "*Mas o que posso fazer?*" Inútil lutar.

Então sentiu medo... o mesmo pavor atroz que lhe dera o primeiro pressentimento em Sunny Ridge...

"*A coitadinha era sua filha?*"

Fora a primeira advertência... só que a interpretara mal... não tinha percebido que se tratava de um aviso.

Seus olhos observavam a proximidade do aço, mas, por incrível que parecesse, não era o metal cintilante nem a ameaça que representava que a paralisavam de horror. Era aquele rosto... o rosto benigno e sorridente da sra. Lancaster... sorrindo de pura alegria, de contentamento... uma mulher cumprindo a tarefa designada, com serena sensatez.

"Não *parece* louca", pensou Tuppence. "É isso que é horrível... Claro que não pode dar essa impressão, pois se julga sã. É um ser humano perfeitamente normal e razoável... isso é o que ela *pensa*... Oh, Tommy, Tommy, no que é que eu fui me meter desta vez?"

Viu-se dominada por uma vertigem e amoleceu. Os músculos se afrouxaram... em alguma parte houve um grande estrondo de vidros partidos. Mergulhou numa maré de escuridão e inconsciência.

II

— Assim, sim... já está voltando a si... beba isto, sra. Beresford.

Um copo pressionado nos lábios... Resistiu desesperadamente... Leite envenenado... quem havia dito isso uma vez... algo a respeito de "leite envenenado"? Não tomaria leite envenenado... Não, não era leite... um cheiro bem diferente...

Acalmou-se e abriu a boca... provou...

— Conhaque! — exclamou Tuppence, identificando o sabor.

— Exato! Continue... beba um pouco mais...

Tuppence tomou outro gole. Recostou-se nas almofadas, olhando em torno. Pela janela se via a ponta de uma escada. E, defronte, uma quantidade de vidros quebrados esparramados pelo chão.

— Escutei a vidraça partir.

Empurrou o cálice de conhaque, e seu olhar passou da mão e do braço para o rosto do homem que o estava segurando.

— El Greco — murmurou.

— O que foi que a senhora disse?

— Não tem importância.

Examinou a sala.

— Onde está ela... A sra. Lancaster, quero dizer?

— Está... descansando... no quarto ao lado...

— Ah, compreendo. — Porém não tinha certeza se compreendia mesmo. Dali a pouco talvez. Por enquanto só conseguia ter uma ideia de cada vez...
— Sir Philip Starke — falou devagar e dubitativamente. — Acertei?
— Sim... Por que disse El Greco?
— Pelo sofrimento.
— Não entendo.
— O quadro... Em Toledo... Ou no Prado... foi o que eu achei há muito tempo... não, não faz tanto tempo assim... — Pensou um pouco... fez uma descoberta... — Ontem à noite. Uma reunião... No vicariato...
— Está melhorando depressa — encorajou.
De certo modo parecia tão natural, estar sentada ali, naquela sala com vidros partidos no assoalho, conversando com aquele homem... de rosto moreno angustiado...
— Cometi um engano... em Sunny Ridge. Eu me equivoquei por completo sobre ela... Na ocasião me amedrontei... Mas interpretei mal... Em vez de ter medo *dela*... senti medo por ela... Pensei que ia lhe suceder qualquer coisa... Quis protegê-la... salvá-la... Eu... — Olhou-o hesitante. — Compreende? Ou parece tolice?
— Ninguém compreende melhor do que eu... ninguém neste mundo.
Tuppence fitou-o fixamente... de cenho franzido.
— Quem... quem era ela? A sra. Lancaster, quero dizer... A sra. Yorke... isso não é verdadeiro... foi apenas tirado de uma roseira... quem era ela... mesma?
Philip Starke respondeu amargamente:
— *"Quem era ela? Ela mesma? A autêntica, a verdadeira. Quem era ela... que trazia o Sinal de Deus à testa?"* A senhora conhece "Peer Gynt", sra. Beresford?
Foi até a janela. Parou ali por um momento, olhando para fora... Depois virou-se abruptamente.
— Era minha mulher, Deus me perdoe.

— Sua mulher?... Mas ela morreu... a placa na igreja...
— Morreu no estrangeiro... foi o boato que espalhei... E mandei colocar uma placa em sua memória na igreja. Ninguém gosta de fazer muitas perguntas a um viúvo desconsolado. Não continuei morando aqui.
— Algumas pessoas disseram que ela tinha abandonado o senhor.
— Isso também ajudou.
— Levou-a embora quando descobriu... a respeito das crianças...
— Então já sabe?
— Ela me contou... Parece... incrível.
— A maior parte do tempo procedia de maneira normal... ninguém teria suposto. A polícia, no entanto, começou a desconfiar... Tive de agir... Precisava salvá-la... protegê-la... A senhora compreende... pode compreender... um pouco, ao menos?
— Sim — respondeu Tuppence —, posso compreender perfeitamente.
— Ela era... tão linda antigamente... — Sua voz vacilou um pouco. — Está vendo? Ali... — apontou para o quadro na parede. — *Waterlily*... Foi sempre arrebatada. A mãe era a última descendente dos Warrender... uma velha família... cruzamento sanguíneo... Helen Warrender... fugiu de casa. Caiu nas garras de um sujeito que não prestava... um malfeitor... A filha entrou para o teatro... trabalhava como bailarina... *Waterlily* foi seu papel mais popular... depois se juntou a uma quadrilha de criminosos... pelo prazer da aventura... só para se divertir... Vivia sofrendo decepções... Quando se casou comigo, tinha rompido com tudo aquilo... queria sossego... uma vida tranquila no campo... morando em família... com filhos. Eu era rico... podia lhe dar tudo o que quisesse. Mas não tivemos prole. Foi uma tristeza para nós dois. Ela começou a ter obsessões de culpa... Talvez houvesse sido sempre um pouco desequilibrada... Não sei... Que importa a causa?... Era... — Fez um gesto desesperado. — Eu a adorava... Sempre a amei... pouco ligava para o que era... para o que fazia... Queria que se salvasse... conservá-la ilesa...

não encarcerada... prisioneira pelo resto da vida, sofrendo em silêncio. E nós a mantivemos salva... durante muitos e muitos anos.

— Nós?

— Nellie... minha cara e fiel Nellie Bligh. A querida Nellie Bligh. Foi maravilhosa... planejou e providenciou tudo. Os asilos... todo conforto e luxo. E nada de tentações... *nenhuma criança*... Tinham de permanecer longe de seu alcance... Parecia dar certo... esses asilos situados em lugares distantes... Cumberland... Gales do Norte... Era pouco provável que alguém a reconhecesse... ou pelo menos achávamos. Foi sugestão do sr. Eccles... um advogado muito sagaz... cobrava caro... mas eu dependia dele.

— Chantagem? — insinuou Tuppence.

— Nunca encarei desse modo. Era um amigo e conselheiro...

— Quem pintou o barco no quadro... o barco chamado *Waterlily*?

— Fui eu. Ela adorou. Lembrava-lhe o triunfo no palco. Foi um dos quadros de Boscowan. Ela gostava da pintura dele. Um dia escreveu um nome com tinta preta embaixo da ponte... o nome de uma criança morta... Por isso pintei um barco para dissimular e o intitulei *Waterlily*...

A porta na parede se abriu... A bruxa camarada passou por ela.

Olhou para Tuppence e em seguida para Philip Starke.

— Tudo em paz de novo? — perguntou num tom casual.

— Sim — respondeu Tuppence.

Percebeu logo que um dos traços mais simpáticos da bruxa camarada era que nunca fazia o menor estardalhaço.

— Seu marido está lá embaixo, esperando no carro. Eu disse que vinha buscar a senhora... se quiser, bem entendido.

— Quero, sim — confessou Tuppence.

— Foi o que imaginei. — Olhou em direção à porta que dava no quarto. — Ela está... lá dentro?

— Sim — confirmou Philip Starke.

A sra. Perry entrou no quarto. Tornou a sair...

— Creio...

Fitou-o com ar interrogativo.

— Ela ofereceu um copo de leite à sra. Beresford... que não aceitou.

— E então, decerto, ela mesma tomou?

Ele hesitou.

— Sim.

— Depois eu chamo o dr. Mortimer — disse a sra. Perry.

Aproximou-se de Tuppence para ajudá-la a se levantar, mas não foi necessário.

— Não estou ferida — informou. — Foi apenas um choque... Agora me sinto perfeitamente bem.

Ficou em pé, diante de Philip Starke... Nenhum dos dois parecia ter mais nada a dizer. A sra. Perry colocou-se ao lado da porta.

Por fim, Tuppence falou:

— Não há nada que eu possa fazer, não é mesmo? — perguntou, embora não fosse propriamente uma pergunta.

— Somente uma coisa... Foi Nellie Bligh quem lhe deu aquela pancada no cemitério no outro dia.

Tuppence anuiu.

— Eu já imaginava.

— Ela perdeu a cabeça. Pensou que a senhora estivesse na pista do nosso segredo. Ela... Sinto-me amargamente arrependido pelas exigências terríveis a que a submeti durante todos esses longos anos. É mais do que se pode pedir a qualquer mulher.

— Acho que ela o amou muito — retrucou Tuppence. — Porém, não creio que continuarei procurando a sra. Johnson, se é isso que o senhor quer de nós...

— Obrigado... Agradeço muito.

Fez-se novo silêncio. A sra. Perry esperou pacientemente. Tuppence olhou em torno. Chegou à janela quebrada e contemplou o tranquilo canal lá embaixo.

— Suponho que nunca mais verei esta casa. Quero registrar tudo para poder lembrar.

— Não prefere esquecê-la?

— Não. Alguém me falou que era uma casa que tinha sido mal utilizada. Agora sei o que queriam dizer.

Fitou-a com ar interrogativo, porém não disse nada.

— Quem o mandou aqui à minha procura? — perguntou Tuppence.

— Emma Boscowan.

— Logo vi.

Cruzou a porta secreta junto com a bruxa camarada e desceram ao térreo.

Uma casa para apaixonados, dissera Emma Boscowan. Pois era assim que a deixava... de posse de dois apaixonados... uma morta e o outro que vivia para sofrer...

Saiu ao encontro de Tommy, que a esperava no carro.

Despediu-se da bruxa camarada e entrou no veículo.

— Tuppence — disse Tommy.

— Já sei — retrucou.

— Não faça isso de novo — pediu Tommy. — Nunca mais.

— Não farei.

— Isso é o que você sempre diz. E depois faz.

— Não faço, não. Estou muito velha.

Tommy ligou o motor. Foram embora.

— Pobre Nellie Bligh — comentou Tuppence.

— Por quê?

—Tão perdidamente apaixonada por Philip Starke. Fazendo todas essas coisas por ele por anos e anos a fio... tanta devoção canina desperdiçada.

— Besteira! — retorquiu Tommy. — No mínimo adorou cada minuto. Há mulheres assim.

— Seu bruto desalmado — disse Tuppence.

— Aonde você quer ir... ao "Cordeiro e Estandarte" em Market Basing?

— Não — respondeu Tuppence. — Quero ir para casa. Para CASA, Thomas. E ficar lá.

— Amém — replicou o sr. Beresford. — *E se Albert nos receber com uma galinha queimada, eu o mato!*

Surpreso com o desfecho desse mistério?

Não deixe de conferir outros desafios que
a Rainha do Crime preparou para seus detetives:

A casa do penhasco
A casa torta
A extravagância do morto
A maldição do espelho
A mansão Hollow
Assassinato na casa do pastor
Assassinato no Expresso do Oriente
Caio o Pano
Cem gramas de centeio
Convite para um homicídio
Hora zero
M ou N?
Morte na Mesopotâmia
Morte no Nilo
Nêmesis
O Natal de Poirot
O mistério dos sete relógios
Os crimes ABC
Os elefantes não esquecem
Os trabalhos de Hércules
Poirot perde uma cliente
Treze à mesa
Um corpo na biblioteca